SOMMAIRE

* Pour approfondir votre lecture, *Au fil du texte* vous propose une sélection commentée :
- de morceaux « classiques » devenus incontournables, signalés par ➡◆ (droit au but).
- d'extraits représentatifs de l'œuvre, signalés par ↷ (en flânant).

PRÉFACE

De toutes les pièces de Molière, *Le Bourgeois gentil-homme* est celle qui a connu le plus grand succès. Jouée à l'occasion des centenaires, des fêtes de fin d'année, des soirées de gala, dans les tournées à l'étranger, pour les visites officielles, elle atteint, par ses fréquences dans les répertoires de théâtre, des performances rarement atteintes. Les chiffres parlent en sa faveur plus que les critiques. Elle s'adapte à tous les genres de spectacle, télévision, cinéma, se joue sous les chapiteaux de cirque, dans les cafés-concerts au gré des metteurs en scène du XXe siècle.

Divertissement plutôt que comédie de mœurs, elle est, par les origines mêmes de sa création, marquée définitivement par le désir de plaire et de donner du plaisir. Spectacle de déguisement et de mascarade qui débouche sur les cérémonies turques, feu d'artifice du rire et de la couleur, elle dérive aisément vers le carnaval et le théâtre total. La comédie-ballet composée par Molière et Lully, créée à Chambord le 14 octobre 1670, jouée le 23 novembre au Palais-Royal, réussit sur la scène ce que la diplomatie française a porté à l'échec lors de la réception de l'émissaire turc Soliman Muta Ferraca par Louis XIV en 1669. Le spectateur de l'époque classique se divertit d'un sujet nouveau : la bourgeoisie parvenue au faîte de sa réussite se prend au mirage de l'Orient.

Le Bourgeois gentilhomme doit son succès, à l'époque de sa création, à des effets de mode : l'irrésistible ascension de la bourgeoisie (voir dans le Dossier les textes 1 à 9), et à l'apparition dans la conscience française de l'Orient, plus particulièrement de la Turquie (voir dans le Dossier les textes 10 à 14).

Il est aisé de reconnaître dans le sujet du « bourgeois » des modèles littéraires, de l'Arétin, *La Courtisane* (texte 7), de Samuel Chappuzeau, *Le Cercle des femmes* (texte 5) et *Le Riche mécontent* (texte 6), de La Bruyère, des portraits de parvenus (texte 4). On a pu voir à juste raison, dans M. Jourdain, un portrait conforme de Colbert. Tout comme lui, il est fils de drapier ; ignorant, il prend des leçons de diction parce qu'il prononce difficilement, se cherche des aïeux dans la noblesse, courtise une femme de l'aristocratie. Toutefois l'aspect satirique de cette pièce excède de beaucoup la reproduction de quelques exemples familiers du public de 1670.

Bien que *Le Bourgeois gentilhomme* ne soit pas, comme l'affirme Antoine Adam, une comédie de mœurs, il doit beaucoup au pouvoir considérable que conquiert cette nouvelle classe sociale au sein de la monarchie, à l'image qu'elle tente de se construire et de donner d'elle-même.

Au début du XVIIe siècle, le terme de « bourgeoisie » trouve sa définition dans un écrit du juriste Loyseau, *Le Traité des ordres et simples dignités* (1613) ; il englobe les gens de lettres des quatre familles (théologie, droit, médecine, art), les professions du droit, enfin les marchands. Les autres, laboureurs, sergents, artisans, « gens de bras », sont réputés « viles personnes » et forment le « sot peuple ». Celui qui n'est pas instruit ne peut prétendre à une fonction quelconque. Le travail manuel permet de tracer la frontière entre gens de métier et bourgeois. Le marchand en tant qu'il participe du commerce est honorable et accède à la bourgeoisie, les paysans sont écartés sans difficulté de l'ordre bourgeois, sous la caution de l'étymologie latine *villicus*, vilain.

Saint-Simon décrit le temps de Louis XIV comme un « long règne de la vile bourgeoisie ». Cette classe sociale, en effet, donne au XVIIe siècle sa pleine mesure en réalisant son ambition la plus obstinée : acquérir la noblesse. Même si toutes les branches de la bourgeoisie n'y parviennent pas, tous « vont détenir, sous l'égide de la monarchie absolue, le pouvoir réel dans l'État centralisé [1] ».

Le début du règne d'Henri IV consacre la victoire de la bourgeoisie par l'introduction de la « paulette » ou vénalité des charges qui lui donne accès aux offices royaux. Désormais quiconque peut s'assurer une fonction dans l'administration royale. Grâce à l'office, tout bourgeois riche peut être considéré comme noble. Les exemples sont nombreux de cette évolution : Montaigne était le petit-fils d'un riche marchand de Bordeaux qui, conseiller au Parlement, prit le nom de sa terre. Et l'on peut citer Corneille, Louvois, Fouquet...

L'état de marchand de M. Jourdain, même si la nécessité publique et l'utilité du commerce sont reconnues, est beaucoup moins considéré que celui de fonctionnaire ou de juriste. À la fin du siècle, Jacques Savary pouvait écrire dans *Le Parfait Négociant* : « Dès le moment qu'en France un négociant a acquis de grandes richesses dans le commerce, bien loin que ses enfants suivent cette profession, au contraire ils entrent dans les charges publiques. » L'esprit de ce temps se retrouve dans *Les Précieuses ridicules*. « Rien de plus marchand que ce procédé-là » (I, 2). Et Mme Jourdain rappelant à son mari ses origines (II, 13) : « ... ses deux grands-pères vendaient du drap auprès de la porte Saint-Innocent ». Cette classe prend conscience du travail productif et se donne pour but d'augmenter sa richesse et celle de la nation dans les entreprises industrielles et commerciales. Colbert contribue beaucoup à réhabiliter la condition de marchand. Sa doctrine se résume en une formule simple : « Un État n'est fort que par sa richesse, toute richesse vient du travail et s'augmente par le commerce. »

À l'intérieur de la famille, la réintroduction du « droit romain » renforce le pouvoir et la centralité du père. Celui-ci, à l'image du monarque, règne sur sa femme et ses

1. R. Pernoud, *Histoire de la bourgeoisie en France*, Le Seuil, 1981.

enfants en manifestant une autorité exclusive. Le théâtre de Molière est l'expression très fidèle de cette domination abusive. Orgon, dans *Tartuffe*, peut déshériter sa famille au profit d'un tiers, Arnolphe dans *L'École des Femmes* peut « élever Agnès selon sa politique » et « s'(en) assurer la pleine et entière dépendance », M. Jourdain contre toute raison peut refuser le prétendant de sa fille... Toute la comédie du XVIIᵉ siècle est traversée par cette problématique de l'autorité du père, du mari, du tuteur, vivante incarnation du droit romain, sur la femme et les enfants. Ce durcissement se manifeste tout particulièrement à l'occasion du mariage. La femme est une mineure juridique au sein du mariage, ses biens sont la propriété du mari qui exerce sur eux la souveraine autorité qu'il a sur sa boutique.

Centralité, autorité exclusive, aspiration à des valeurs culturelles qui définissent « l'honnête homme », aspiration à la noblesse sont des thèmes récurrents de la comédie de mœurs de Molière et de ses contemporains. À travers *La Sœur* de Rotrou, *Le Cercle des femmes*, *Le Riche mécontent* de Samuel Chappuzeau, se retrouvent des scènes de genre, des moments « obligés » de l'ascension du bourgeois. L'apprentissage (leçons de musique, de diction, d'armes...) permet d'accéder aux valeurs de la noblesse. Le bourgeois est un être en devenir. Le théâtre fait de cette éducation le spectacle de la contrefaçon, de l'imitation. La bourgeoisie n'est que parodie de la noblesse. Elle relève du burlesque, version classique de la dérision. Le bourgeois est quasiment perçu comme un « faussaire ». Il s'approprie terres, titres, particules, s'invente des ancêtres, une nouvelle origine, il se glisse dans les usages de la noblesse, il se déguise, il se travestit. Il est en rupture de filiation non seulement quant à son passé mais surtout par rapport à ses enfants. Fondateur d'une nouvelle lignée, il interrompt sa généalogie, en imposant à ses enfants un partenaire d'une autre classe. Le mariage est le moment décisif de la comédie qui permet de basculer d'un ordre vers un autre. Ainsi M. Jourdain ne peut-il accepter Cléonte pour gendre car il n'est point gentil-

homme. Le mariage est aussi le moment d'une butée signi-
ficative qui permet au père rappelle son autorité toute-
puissante sur sa fille et son désir de ne connaître aucune
entrave lorsqu'il s'agit d'accomplir sa transformation
sociale et son ambition nobiliaire : nœud qui met en
balance l'autorité du père et le désir des enfants de suivre
leurs inclinations. Son pouvoir dans la comédie de Molière
sert de caution à ses désirs les plus extravagants. M. Jourdain glisse tout à loisir dans la liberté de satisfaire ses exigences et la déraison de tomber amoureux d'une marquise.
Cette contradiction rencontre une épreuve de réalité au
moment où Mme Jourdain s'efforce de faire entendre à
son mari l'impossibilité d'un franchissement social au nom
d'une mémoire de son passé qui ferait retour à la généra-
tion suivante. « C'est la fille de Monsieur qui était trop
heureuse, étant petite, de jouer à la Madame avec vous ;
elle n'a pas toujours été si relevée que la voilà, et ses deux
grands pères vendaient du drap auprès de la porte Saint-
Innocent. Ils ont amassé du bien à leurs enfants, qu'ils
paient peut-être bien cher en l'autre monde, et l'on ne
devient guère si riche à être honnêtes gens » (II, 13).

L'intrigue de la famille bourgeoise et l'ascension du
bourgeois en gentilhomme s'ouvrent sur une nouvelle
scène : le divertissement turc. La mise en scène de l'Orient
trouve sa raison immédiate dans l'anecdotique visite de
l'émissaire du sultan à Paris. Louis XIV reçoit la délégation turque de Soliman Muta Ferraca (1669). Le souverain
rivalise en parure. L'ambassadeur, outré par un excessif
apparat, s'en retourne chez lui sans explication. Le roi
commande à Molière et à Lully une comédie-ballet sur ce
sujet. Le chevalier Laurent d'Arvieux, qui a longuement
voyagé en Turquie, apporte son concours de costumier et
de metteur en scène. L'intrigue ne serait donc qu'un prétexte à préparer le divertissement final et à reproduire sur
la scène l'inoubliable et éblouissante présence des turbans,
des manteaux flottants, des aigrettes qui ont fait d'une
ambassade un spectacle dans les rues de Paris.

L'engouement qui se manifeste pour l'Orient trouve son explication dans l'ouverture sur le Levant. À partir de 1660, la France intervient directement dans les conflits austro-turcs et il en résulte des négociations suivies entre les ambassadeurs de Louis XIV et les ministres du sultan. Les récits de voyage, le commerce des produits exotiques, les réceptions d'ambassadeurs, les relations des missionnaires sont à l'origine de la formation du goût oriental et de l'intérêt pour l'exotisme. Laurent d'Arvieux (texte 10), Bernier, Tavernier, Chardin, Galland [1] sillonnent infatigablement les contrées asiatiques, soit pour y faire fortune, soit par curiosité. Les langues orientales, qui sont devenues également à la mode, leur permettent un accès plus facile aux hommes de ces pays. L'Oriental leur apparaît bel homme, poète, plein d'esprit, d'imagination, d'intelligence, « galant, gentil, bien élevé », doué de toutes sortes de qualités insoupçonnées. Les fastes des cérémonies sont comparés à ceux de la cour de Louis XIV au point que les descriptions de Mlle de Scudéry apparaissent bien fades aux yeux d'Antoine Galland, traducteur des *Mille et Une Nuits* (texte 11).

Ils voient dans la religion un fatalisme placide, des superstitions sans fin, croyances à la divination, magie, talismans, amulettes, sorts, astrologues, devins : « Ils sont fort philosophes sur les biens et les maux de la vie, sur la crainte de l'espérance de l'avenir », écrit Chardin [2]. Officiellement l'Islam est encore hérétique mais les pratiques offrent d'irrésistibles séductions. Leurs idées morales apparaissent élevées, coulées dans la poésie des sentences imagées et fleuries. Ils décrivent longuement les pouvoirs despotiques dont ils ne sont pas encore conscients des influences qu'ils pourront avoir sur la remise en question de la monarchie. Dans cet Orient charmeur, les voyageurs ont trouvé de faciles aventures et découvert les attraits

---

1. Stéphane Yarimos, Paris, FM/La Découverte, 1980, recense deux cents récits de voyage au XVIIe siècle.
2. Chardin, *Journal en Perse et aux Indes orientales*.

secrets des sérails. La sensualité d'ailleurs est libre : la religion enseigne que c'est péché de résister à l'amour. L'imagination galante ne fait que commencer à s'éveiller aux possibilités de pareils récits.

Tout en recherchant ce qui peut rapprocher l'Oriental de l'Européen (pouvoir, religion, mœurs) et permettre de se conforter dans son identité au spectacle de l'analogue, les voyageurs découvrent l'attirance pour l'étrange et le différent. Dans le rapprochement physique et géographique, ils font l'expérience de la distance et de la relativité.

Bajazet de Racine et *Le Bourgeois gentilhomme* de Molière, très exactement contemporains de ces récits de voyage, sont les deux pièces qui attestent avec le plus d'éclat ce nouvel intérêt pour l'Orient. Racine avec la tragédie ; Molière avec la comédie. La seconde préface de *Bajazet* donne l'explication de son emprunt à l'Orient. « Il n'y a guère de différence entre ce qui est, si j'ose ainsi parler, à mille ans de lui [le spectateur français] et ce qui en est à mille lieues. C'est ce qui fait, par exemple, que les personnages turcs, quelque modernes qu'ils soient, ont de la dignité sur notre théâtre. On les regarde comme anciens. Ce sont des mœurs et des coutumes toutes différentes. Nous avons si peu de commerce avec les princes et les autres personnes qui vivent dans le sérail que nous les considérons, pour ainsi dire, comme des gens qui vivent dans un autre siècle que le nôtre. » Racine exploite l'Orient au même titre qu'il le fait de l'Antiquité grecque ou romaine. La distance géographique tient lieu de distance historique. Son texte n'a aucune visée « moderne » de couleur locale. Le présent parce qu'il est lointain équivaut au passé. Le sérail, loin d'introduire un quelconque exotisme, est le lieu tragique par excellence : fermé, interdit et par là même privilégié pour exprimer les passions les plus violentes.

Dans la comédie de Molière, la fiction de l'Orient, plutôt que d'agir sur la distance, autorise tous les « rapprochements ». Le valet de Cléonte, Covielle, invente pour son maître, éconduit par M. Jourdain parce qu'il n'est pas « gentilhomme », un scénario qui lui permettra d'épouser

Lucile sous le travestissement du fils du Grand Turc. Tout comme dans la réalité, les Turcs viennent en visite à Paris pour apparaître sur la scène d'un salon bourgeois. Leurs traits sont familiers, leur parler est fait de mots d'emprunt mais de sons justes qui font écho au nouvel engouement pour les langues orientales (IV, 3). Ce turc de fantaisie inventé pour le seul plaisir de rire qui « dit tant de choses en deux mots », aux sons étranges (*Caracamouchen* qui veut dire « ma chère âme »), fait écho à ces tentatives linguistiques inaugurées par Rotrou (texte 13) dans *La Sœur* (1645). Les « paroles remarquables, les bons mots et les maximes des Orientaux [1] », les images poétiques plaisent aux spectateurs et commencent à se répandre. Aux paroles de Covielle : « Votre cœur soit toute l'année comme un rosier fleuri... Il dit que le ciel vous donne la force des lions et la puissance des serpents », le public se fait une idée de ce lointain Orient qui draine avec lui tout un art de vie qui n'est pas sans rapport avec la préciosité.

La cérémonie turque qui est à l'origine de cette comédie fit l'objet d'une documentation minutieuse : « Nous travaillâmes, écrit Laurent d'Arvieux, à cette pièce de théâtre qu'on voit dans les œuvres de Molière sous le titre de *Bourgeois gentilhomme*. Je fus chargé de tout ce qui regarde les habillements et les manières des Turcs... Je demeurai huit jours chez Baraillon, maître tailleur, pour faire les habits et les rubans à la turque. »

L'édition de 1671, donnée par Molière, est très sobre d'indications. À peine si elle indique la position des personnages et inscrit les paroles qu'ils doivent prononcer. C'est l'édition de 1682 qui a permis par l'enrichissement des jeux de scène de fixer la tradition telle qu'elle s'est perpétuée. Grâce à cette édition on peut voir la pièce telle qu'elle s'est jouée.

Le sens de cette cérémonie turque a passé longtemps pour une parodie du rituel de la consécration des évêques. En fait, Molière a représenté avec beaucoup de fidélité et

---

1. Antoine Galland, *Les Paroles remarquables... des Orientaux*, 1694.

d'exactitude les principales cérémonies des derviches dont le chevalier lui avait fait le récit. Mais la fiction l'emporta sur la réalité et le public n'y vit qu'un aimable travestissement.

La présence orientale n'est pas sans effet sur la structure narrative de la comédie. Dans la pièce de Rotrou, *La Sœur*, l'existence d'une Turquie fictive fait éclater l'intrigue aux confins du monde. L'emprise du père est relayée par des fantasmes de tyrannie (pirates, sultans). Les filles y peuvent délivrer leur imaginaire par la découverte de nouvelles aventures. L'amour s'y émancipe. L'inceste est même autorisé.

> « La loi de Mahomet, par une charge expresse,
> Enjoint ces sentiments d'amour et de tendresse
> Que le sang justifie et semble autoriser. »

La comédie contemporaine de Molière n'outrepasse pas certaines conventions morales, les licences amoureuses y sont encore très timides mais les possibilités de l'imaginaire assouplissent insensiblement les contraintes rigides de la famille. Le détour de l'intrigue par l'Orient fait fonction d'écart moral, presque de transgression. L'autorité paternelle n'est ni contrariée ni contrecarrée mais déjouée.

Le spectacle du *Bourgeois gentilhomme* a trop hâtivement été traité de suite incohérente de « lazzi »[1]. Il y a au contraire une continuité logique entre la première partie de la pièce (actes I, II, III) et la seconde (IV et V). Les intermèdes des trois premiers actes préparent la cérémonie turque qui en constitue le quatrième et le dernier[2]. Les scènes d'éducation (la danse, les armes, la diction) sont autant de signes de déraison et d'extravagances qui ouvrent la possibilité du rêve et autorisent la crédulité de M. Jourdain à accepter le royaume enchanté du travestissement final. L'autorité du père chargée de fautes enfantines et d'amour coupable vacille aisément dans l'univers

---

1. Antoine Adam, *Histoire de la littérature au XVIIe siècle*, 1952.
2. I, 2 ; II, 5 ; III, 16 ; IV, 13.

merveilleux de la fête. L'épreuve de réalité que sont le rire de Nicole et la querelle avec Mme Jourdain, située à mi-parcours de la pièce (III, 2, 3, 13), retrace son itinéraire imaginaire qui va de la porte des Innocents où il vendait du drap à la porte du Levant, de sa condition de marchand à l'anoblissement fictif.

L'astucieux stratagème de Covielle exploite l'extravagante vanité du bourgeois. Elle puise aux sources de ses chimères les plus secrètes. Le rusé valet, en réalisant ses vœux les plus chers, affranchit M. Jourdain — contrairement à sa femme — de son trop fastidieux passé : « J'étais grand ami de feu Monsieur votre père... qui était un fort honnête gentilhomme. » Il réduit à une simple médisance le métier de son père et le lave de la honte de la mercantilité : « Lui marchand ! C'est pure médisance, il ne l'a jamais été. Tout ce qu'il faisait, c'est qu'il était fort obligeant, fort officieux ; et, comme il se connaissait fort bien en étoffes, il en allait choisir de tous côtés, les faisait apporter chez lui, et en donnait à ses amis pour de l'argent [1]. »

L'étonnement et le contentement qu'exprime M. Jourdain à découvrir, comme s'il s'agissait d'une langue étrangère, la prose qu'il entend (« Et comme l'on parle qu'est-ce donc cela ? » II, 4) — et le turc (« Voilà une langue admirable que ce turc ! » IV, 3) relèvent du même ressort comique : le bourgeois est devenu pleinement infantile. Son éblouissement gourmand l'innocente. Il est moins objet de satire que « jouet » du spectateur comme de ceux qui le bernent. Il peut en toute vraisemblance se croire l'élu d'une ambassade venue de Turquie.

Autre principe de cohérence : la métaphore de « l'étoffe » prend sens au cours des cinq actes. Vêtu le matin d'une « indienne comme le sont les gens de qualité », M. Jourdain est, le soir, habillé d'un costume fastueux qui consacre son anoblissement. La folle journée d'un bourgeois prend allure de songe et de féerie. Le marchand de drap franchit

1. IV, 3.

le temps et l'espace. La comédie-ballet est voisine du conte de fées. Il y a contamination des genres. Cendrillon transformée en princesse. Le marchand de drap métamorphosé en *Mamamouchi*. Ce saut dans le merveilleux remplace aisément l'ascension sociale. Mais la morale de la comédie, à l'égal de celle de la fable, pointe à l'horizon. Père dupé, mari jugé, amoureux berné. Le *paladin* n'est qu'un *baladin*, comme le rappelle avec aigreur Mᵐᵉ Jourdain. Le terme de *Mamamouchi*, qui selon Littré signifie « bon à rien », pour ne pas dire « tête de Turc », dénonce la folie des grandeurs. Et, de La Fontaine, on entend l'esprit du siècle :

« [...] La chétive pécore
S'enfla si bien qu'elle creva.
Le monde est plein de gens qui ne sont pas plus sages :
Tout bourgeois veut bâtir comme les grands seigneurs [1]... »

De couleur locale, il n'en est donc point, pas plus que dans *Bajazet*. Du moins, pas encore. La fête orientale est sanctionnée comme folie. Sa fonction est celle du grotesque. Le rapprochement avec le Levant est une alliance trompeuse.

Le Bourgeois gentilhomme, brillante parodie d'une mode, ouvre l'espace de la scène à la danse, à la musique, au travestissement, à la mascarade. Lully ne se contenta pas d'écrire la musique ; il y joua le rôle du Mufti ; Molière, celui du bourgeois, Laurent d'Arvieux s'en amusa, le roi s'en divertit. Toutes les libertés de mise en scène sont permises autant qu'elles peuvent donner du plaisir et faire rire.

---

1. La Fontaine : *La grenouille qui se veut faire aussi grosse que le bœuf.*

ACTEURS

MONSIEUR JOURDAIN, *bourgeois*
MADAME JOURDAIN, *sa femme*
LUCILE, *fille de Monsieur Jourdain*
NICOLE, *servante*
CLÉONTE, *amoureux de Lucile*
COVIELLE, *valet de Cléonte*
DORANTE, *comte, amant de Dorimène*
DORIMÈNE, *marquise*
MAÎTRE DE MUSIQUE
ÉLÈVE DU MAÎTRE DE MUSIQUE
MAÎTRE À DANSER
MAÎTRE D'ARMES
MAÎTRE DE PHILOSOPHIE
MAÎTRE TAILLEUR
GARÇON TAILLEUR
DEUX LAQUAIS
PLUSIEURS MUSICIENS, MUSICIENNES,
JOUEURS D'INSTRUMENTS, DANSEURS,
CUISINIERS,
GARÇONS TAILLEURS, *et autres personnages des Intermèdes et du Ballet.*

La scène est à Paris dans la maison de M. Jourdain.

LE BOURGEOIS GENTILHOMME

ACTE I

L'ouverture se fait par un grand assemblage d'instruments ; et dans le milieu du théâtre on voit un élève du Maître de musique, qui compose sur une table un air que le Bourgeois a demandé pour une sérénade.

SCÈNE 1

Maître de musique, maître à danser, trois musiciens, deux violons, quatre danseurs

MAÎTRE DE MUSIQUE, *parlant à ses musiciens.*

Venez, entrez dans cette salle, et vous reposez là en attendant qu'il vienne.

MAÎTRE À DANSER, *parlant aux danseurs.*

Et vous aussi, de ce côté.

MAÎTRE DE MUSIQUE, *à l'élève.*

Est-ce fait ?

L'ÉLÈVE

Oui.

MAÎTRE DE MUSIQUE

Voyons... Voilà qui est bien.

MAÎTRE À DANSER

Est-ce quelque chose de nouveau ?

MAÎTRE DE MUSIQUE

Oui, c'est un air pour une sérénade, que je lui ai fait composer ici, en attendant que notre homme fût éveillé.

MAÎTRE À DANSER

Peut-on voir ce que c'est ?

MAÎTRE DE MUSIQUE

Vous l'allez entendre avec le dialogue, quand il viendra. Il ne tardera guère.

MAÎTRE À DANSER

Nos occupations, à vous et à moi, ne sont pas petites maintenant.

MAÎTRE DE MUSIQUE

Il est vrai. Nous avons trouvé ici un homme comme il nous le faut à tous deux ; ce nous est une douce rente que ce monsieur Jourdain, avec les visions de noblesse et de galanterie [1] qu'il est allé se mettre en tête ; et votre danse et ma musique auraient à souhaiter que tout le monde lui ressemblât.

MAÎTRE À DANSER

Non pas entièrement ; et je voudrais pour lui qu'il se connût mieux qu'il ne fait aux choses que nous lui donnons.

MAÎTRE DE MUSIQUE

Il est vrai qu'il les connaît mal, mais il les paie bien ; et c'est de quoi maintenant nos arts ont plus besoin que de toute autre chose.

MAÎTRE À DANSER

Pour moi, je vous l'avoue, je me repais un peu de gloire, les applaudissements me touchent ; et je tiens que, dans

1. Élégance, distinction.

tous les beaux-arts, c'est un supplice assez fâcheux que de se produire à des sots, que d'essuyer sur des compositions la barbarie d'un stupide. Il y a plaisir, ne m'en parlez point, à travailler pour des personnes qui soient capables de sentir les délicatesses d'un art, qui sachent faire un doux accueil aux beautés d'un ouvrage, et par de chatouillantes [1] approbations vous régaler [2] de votre travail. Oui, la récompense la plus agréable qu'on puisse recevoir des choses que l'on fait, c'est de les voir connues, de les voir caressées d'un applaudissement qui vous honore. Il n'y a rien, à mon avis, qui nous paie mieux que cela de toutes nos fatigues ; et ce sont des douceurs exquises que des louanges éclairées.

MAÎTRE DE MUSIQUE

J'en demeure d'accord, et je les goûte comme vous. Il n'y a rien assurément qui chatouille davantage que les applaudissements que vous dites. Mais cet encens ne fait pas vivre ; des louanges toutes pures ne mettent point un homme à son aise : il y faut mêler du solide ; et la meilleure façon de louer, c'est de louer avec les mains [3]. C'est un homme, à la vérité, dont les lumières sont petites, qui parle à tort et à travers de toutes choses, et n'applaudit qu'à contresens ; mais son argent redresse les jugements de son esprit ; il a du discernement dans sa bourse ; ses louanges sont monnayées [4], et ce bourgeois ignorant nous vaut mieux, comme vous voyez, que le grand seigneur éclairé qui nous a introduits ici.

MAÎTRE À DANSER

Il y a quelque chose de vrai dans ce que vous dites ; mais je trouve que vous appuyez un peu trop sur l'argent ; et l'intérêt est quelque chose de si bas, qu'il ne faut jamais qu'un honnête homme montre pour lui de l'attachement.

---

1. Plaisantes.
2. Récompenser par un plaisir.
3. En applaudissant ou en payant.
4. Payées en monnaie.

MAÎTRE DE MUSIQUE

Vous recevez fort bien pourtant l'argent que notre homme vous donne.

MAÎTRE À DANSER

Assurément ; mais je n'en fais pas tout mon bonheur, et je voudrais qu'avec son bien il eût encore quelque bon goût des choses.

MAÎTRE DE MUSIQUE

Je le voudrais aussi, et c'est à quoi nous travaillons tous deux autant que nous pouvons. Mais, en tout cas, il nous donne moyen de nous faire connaître dans le monde ; et il paiera pour les autres ce que les autres loueront pour lui.

MAÎTRE À DANSER

Le voilà qui vient.

SCÈNE 2

●◆ Monsieur Jourdain, deux laquais, maître de musique, maître à danser, violons, musiciens et danseurs

MONSIEUR JOURDAIN

Hé bien, messieurs ? Qu'est-ce ? me ferez-vous voir votre petite drôlerie [1] ?

MAÎTRE À DANSER

Comment ! quelle petite drôlerie ?

MONSIEUR JOURDAIN

Eh la…, comment appelez-vous cela ? votre prologue ou dialogue de chansons et de danse.

MAÎTRE À DANSER

Ah ! ah !

1. Divertissement bouffon.

●◆ Voir *Au fil du texte*, p. XII.

MAÎTRE DE MUSIQUE

Vous nous y voyez préparés.

MONSIEUR JOURDAIN

Je vous ai fait un peu attendre, mais c'est que je me fais habiller aujourd'hui comme les gens de qualité, et mon tailleur m'a envoyé des bas de soie[1] que j'ai pensé ne mettre jamais.

MAÎTRE DE MUSIQUE

Nous ne sommes ici que pour attendre votre loisir.

MONSIEUR JOURDAIN

Je vous prie tous deux de ne vous point en aller qu'on ne m'ait apporté mon habit, afin que vous me puissiez voir.

MAÎTRE À DANSER

Tout ce qu'il vous plaira.

MONSIEUR JOURDAIN

Vous me verrez équipé comme il faut, depuis les pieds jusqu'à la tête.

MAÎTRE DE MUSIQUE

Nous n'en doutons point.

MONSIEUR JOURDAIN

Je me suis fait faire cette indienne-ci[1].

MAÎTRE À DANSER

Elle est fort belle.

MONSIEUR JOURDAIN

Mon tailleur m'a dit que les gens de qualité étaient comme cela le matin.

1. Cf. lexique.

MAÎTRE DE MUSIQUE

Cela vous sied à merveille.

MONSIEUR JOURDAIN

Laquais ! holà, mes deux laquais !

PREMIER LAQUAIS

Que voulez-vous, monsieur ?

MONSIEUR JOURDAIN

Rien. C'est pour voir si vous m'entendez bien. *(Aux deux maîtres.)* Que dites-vous de mes livrées [1] ?

MAÎTRE À DANSER

Elles sont magnifiques.

MONSIEUR JOURDAIN

(Il entrouvre sa robe et fait voir un haut-de-chausses [1] étroit de velours rouge et une camisole [1] de velours vert, dont il est vêtu.)

Voici encore un petit déshabillé [1] pour faire le matin mes exercices.

MAÎTRE DE MUSIQUE

Il est galant.

MONSIEUR JOURDAIN

Laquais !

PREMIER LAQUAIS

Monsieur.

MONSIEUR JOURDAIN

L'autre laquais !

SECOND LAQUAIS

Monsieur.

1. Cf. lexique.

MONSIEUR JOURDAIN

Tenez ma robe. Me trouvez-vous bien comme cela ?

MAÎTRE À DANSER

Fort bien. On ne peut pas mieux.

MONSIEUR JOURDAIN

Voyons un peu notre affaire.

MAÎTRE DE MUSIQUE

Je voudrais bien auparavant vous faire entendre un air qu'il vient de composer pour la sérénade que vous m'avez demandée. C'est un de mes écoliers, qui a pour ces sortes de choses un talent admirable.

MONSIEUR JOURDAIN

Oui ; mais il ne fallait pas faire faire cela par un écolier, et vous n'étiez pas trop bon vous-même pour cette besogne-là.

MAÎTRE DE MUSIQUE

Il ne faut pas, monsieur, que le nom d'écolier vous abuse. Ces sortes d'écoliers en savent autant que les plus grands maîtres, et l'air est aussi beau qu'il s'en puisse faire. Écoutez seulement...

MONSIEUR JOURDAIN

Donnez-moi ma robe pour mieux entendre... Attendez, je crois que je serai mieux sans robe... Non ; redonnez-la-moi, cela ira mieux.

MUSICIEN, *chantant.*

Je languis nuit et jour, et mon mal est extrême,
Depuis qu'à vos rigueurs vos beaux yeux m'ont soumis :
Si vous traitez ainsi, belle Iris, qui vous aime,
Hélas ! que pourriez-vous faire à vos ennemis ?

MONSIEUR JOURDAIN

Cette chanson me semble un peu lugubre, elle endort, et je voudrais que vous la pussiez un peu ragaillardir par-ci, par-là.

MAÎTRE DE MUSIQUE

Il faut, monsieur, que l'air soit accommodé aux paroles.

MONSIEUR JOURDAIN

On m'en apprit un tout à fait joli, il y a quelque temps. Attendez... La..., comment est-ce qu'il dit ?

MAÎTRE À DANSER

Par ma foi ! je ne sais.

MONSIEUR JOURDAIN

Il y a du mouton dedans.

MAÎTRE À DANSER

Du mouton ?

MONSIEUR JOURDAIN

Oui. Ah !
Monsieur Jourdain chante.
   Je croyais Janneton
   Aussi douce que belle,
   Je croyais Janneton
   Plus douce qu'un mouton :
   Hélas ! hélas ! elle est cent fois,
   Mille fois plus cruelle,
   Que n'est le tigre aux bois.
N'est-il pas joli ?

MAÎTRE DE MUSIQUE

Le plus joli du monde.

MAÎTRE À DANSER

Et vous le chantez bien.

MONSIEUR JOURDAIN

C'est sans avoir appris la musique.

MAÎTRE DE MUSIQUE

Vous devriez l'apprendre, monsieur, comme vous faites la danse. Ce sont deux arts qui ont une étroite liaison ensemble.

MAÎTRE À DANSER

Et qui ouvrent l'esprit d'un homme aux belles choses.

MONSIEUR JOURDAIN

Est-ce que les gens de qualité apprennent aussi la musique ?

MAÎTRE DE MUSIQUE

Oui, monsieur.

MONSIEUR JOURDAIN

Je l'apprendrai donc. Mais je ne sais quel temps je pourrai prendre ; car, outre le maître d'armes qui me montre, j'ai arrêté encore un maître de philosophie, qui doit commencer ce matin.

MAÎTRE DE MUSIQUE

La philosophie est quelque chose ; mais la musique, monsieur, la musique...

MAÎTRE À DANSER

La musique et la danse... La musique et la danse, c'est là tout ce qu'il faut.

MAÎTRE DE MUSIQUE

Il n'y a rien qui soit si utile dans un État que la musique.

MAÎTRE À DANSER

Il n'y a rien qui soit si nécessaire aux hommes que la danse.

MAÎTRE DE MUSIQUE

Sans la musique, un État ne peut subsister.

MAÎTRE À DANSER

Sans la danse, un homme ne saurait rien faire.

MAÎTRE DE MUSIQUE

Tous les désordres, toutes les guerres qu'on voit dans le monde, n'arrivent que pour n'apprendre pas la musique.

MAÎTRES À DANSER

Tous les malheurs des hommes, tous les revers funestes dont les histoires sont remplies, les bévues des politiques et les manquements des grands capitaines, tout cela n'est venu que faute de savoir danser.

MONSIEUR JOURDAIN

Comment cela ?

MAÎTRE DE MUSIQUE

La guerre ne vient-elle pas d'un manque d'union entre les hommes ?

MONSIEUR JOURDAIN

Cela est vrai.

MAÎTRE DE MUSIQUE

Et si tous les hommes apprenaient la musique, ne serait-ce pas le moyen de s'accorder ensemble, et de voir dans le monde la paix universelle ?

MONSIEUR JOURDAIN

Vous avez raison.

MAÎTRE À DANSER

Lorsqu'un homme a commis un manquement dans sa conduite, soit aux affaires de sa famille, ou au gouvernement d'un État, ou au commandement d'une armée, ne dit-on pas toujours : « Un tel a fait un mauvais pas dans une telle affaire » ?

MONSIEUR JOURDAIN

Oui, on dit cela.

MAÎTRE À DANSER

Et faire un mauvais pas peut-il procéder d'autre chose que de ne savoir pas danser ?

MONSIEUR JOURDAIN

Cela est vrai, vous avez raison tous deux.

MAÎTRE À DANSER

C'est pour vous faire voir l'excellence et l'utilité de la danse et de la musique.

MONSIEUR JOURDAIN

Je comprends cela à cette heure.

MAÎTRE DE MUSIQUE

Voulez-vous voir nos deux affaires ?

MONSIEUR JOURDAIN

Oui.

MAÎTRE DE MUSIQUE

Je vous l'ai déjà dit, c'est un petit essai que j'ai fait autrefois des diverses passions que peut exprimer la musique.

MONSIEUR JOURDAIN

Fort bien.

MAÎTRE DE MUSIQUE, *aux musiciens*.

Allons, avancez. *(À M. Jourdain.)* Il faut vous figurer qu'ils sont habillés en bergers.

MONSIEUR JOURDAIN

Pourquoi toujours des bergers ? On ne voit que cela partout.

MAÎTRE À DANSER

Lorsqu'on a des personnes à faire parler en musique, il faut bien que, pour la vraisemblance, on donne dans la bergerie [1]. Le chant a été de tout temps affecté aux bergers ; et il n'est guère naturel en dialogue que des princes ou des bourgeois chantent leurs passions.

MONSIEUR JOURDAIN

Passe, passe. Voyons.

Dialogue en musique
Une musicienne et deux musiciens

Un cœur, dans l'amoureux empire,
 De mille soins est toujours agité :
On dit qu'avec plaisir on languit, on soupire ;
 Mais, quoi qu'on puisse dire,
Il n'est rien de si doux que notre liberté.

PREMIER MUSICIEN

Il n'est rien de si doux que les tendres ardeurs
 Qui font vivre deux cœurs
 Dans une même envie.
On ne peut être heureux sans amoureux désirs :
 Ôtez l'amour de la vie,
Vous en ôtez les plaisirs.

SECOND MUSICIEN

Il serait doux d'entrer sous l'amoureuse loi,
Si l'on trouvait en amour de la foi ;
Mais, hélas ! ô rigueur cruelle !
On ne voit point de bergère fidèle ;
Et ce sexe inconstant, trop indigne du jour,
Doit faire pour jamais renoncer à l'amour.

PREMIER MUSICIEN

Aimable ardeur.

MUSICIENNE

Franchise heureuse.

---

1. Cf. lexique.

SECOND MUSICIEN

Sexe trompeur.

PREMIER MUSICIEN

Que tu m'es précieuse !

MUSICIENNE

Que tu plais à mon cœur !

SECOND MUSICIEN

Que tu me fais d'horreur !

PREMIER MUSICIEN

Ah ! quitte pour aimer cette haine mortelle.

MUSICIENNE

On peut, on peut te montrer
Une bergère fidèle.

SECOND MUSICIEN

Hélas ! où la rencontrer ?

MUSICIENNE

Pour défendre notre gloire,
Je te veux offrir mon cœur.

SECOND MUSICIEN

Mais, Bergère, puis-je croire
Qu'il ne sera point trompeur ?

MUSICIENNE

Voyons par expérience
Qui des deux aimera mieux.

SECOND MUSICIEN

Qui manquera de constance,
Le puissent perdre les dieux !

TOUS TROIS

À des ardeurs si belles
Laissons-nous enflammer :
Ah ! qu'il est doux d'aimer,
Quand deux cœurs sont fidèles !

MONSIEUR JOURDAIN

Est-ce tout ?

MAÎTRE DE MUSIQUE

Oui.

MONSIEUR JOURDAIN

Je trouve cela bien troussé [1], et il y a là-dedans de petits dictons assez jolis.

MAÎTRE À DANSER

Voici, pour mon affaire, un petit essai des plus beaux mouvements, des plus belles attitudes dont une danse puisse être variée.

MONSIEUR JOURDAIN

Sont-ce encore des bergers ?

MAÎTRE À DANSER

C'est ce qu'il vous plaira. Allons.

Quatre danseurs exécutent tous les mouvements différents et toutes les sortes de pas que le maître à danser leur commande ; et cette danse fait le premier intermède.

1. Fait habilement.

ACTE II

SCÈNE 1
Monsieur Jourdain, maître de musique,
maître à danser, laquais

MONSIEUR JOURDAIN

Voilà qui n'est point sot, et ces gens-là se trémoussent
bien.

MAÎTRE DE MUSIQUE

Lorsque la danse sera mêlée avec la musique, cela fera
plus d'effet encore, et vous verrez quelque chose de galant
dans le petit ballet que nous avons ajusté pour vous.

MONSIEUR JOURDAIN

C'est pour tantôt au moins ; et la personne pour qui
j'ai fait faire tout cela me doit faire l'honneur de venir
dîner céans [1].

MAÎTRE À DANSER

Tout est prêt.

MAÎTRE DE MUSIQUE

Au reste, monsieur, ce n'est pas assez : il faut qu'une
personne comme vous, qui êtes magnifique et qui avez de
l'inclination pour les belles choses, ait un concert de
musique chez soi tous les mercredis ou tous les jeudis.

MONSIEUR JOURDAIN

Est-ce que les gens de qualité en ont ?

1. À la maison.

MAÎTRE DE MUSIQUE

Oui, monsieur.

MONSIEUR JOURDAIN

J'en aurai donc. Cela sera-t-il beau ?

MAÎTRE DE MUSIQUE

Sans doute. Il vous faudra trois voix : un dessus [1], une haute-contre [2], et une basse, qui seront accompagnées d'une basse de viole [3], d'un théorbe [4], et d'un clavecin pour les basses continues, avec deux dessus de violon pour jouer les ritornelles [5].

MONSIEUR JOURDAIN

Il y faudra mettre aussi une trompette marine [6]. La trompette marine est un instrument qui me plaît, et qui est harmonieux.

MAÎTRE DE MUSIQUE

Laissez-nous gouverner les choses.

MONSIEUR JOURDAIN

Au moins n'oubliez pas tantôt de m'envoyer des musiciens, pour chanter à table.

MAÎTRE DE MUSIQUE

Vous aurez tout ce qu'il vous faut.

MONSIEUR JOURDAIN

Mais surtout, que le ballet soit beau.

---

1. Ténor.
2. Voix plus légère que celle du ténor.
3. Viole de gambe, équivalent aujourd'hui du violoncelle.
4. Genre de guitare à double manche et plus de vingt cordes.
5. Ou ritournelles : petit motif musical qui précédait ou suivait le morceau choisi.
6. Immense mandoline qui émet un ronflement sonore.

MAÎTRE DE MUSIQUE

Vous en serez content, et, entre autres choses, de certains menuets que vous y verrez.

MONSIEUR JOURDAIN

Ah ! les menuets sont ma danse, et je veux que vous me les voyiez danser. Allons, mon maître.

MAÎTRE À DANSER

Un chapeau, monsieur, s'il vous plaît. La, la, la ; La, la, la, la, la, la ; La, la, la, *bis* ; La, la, la ; La la. En cadence, s'il vous plaît. La, la, la, la. La jambe droite. La, la, la. Ne remuez point tant les épaules. La, la, la, la, la ; La, la, la, la, la. Vos deux bras sont estropiés. La, la, la, la, la. Haussez la tête. Tournez la pointe du pied en dehors. La, la, la. Dressez votre corps.

MONSIEUR JOURDAIN.

Euh ?

MAÎTRE DE MUSIQUE

Voilà qui est le mieux du monde.

MONSIEUR JOURDAIN

À propos. Apprenez-moi comme il faut faire une révérence pour saluer une marquise : j'en aurai besoin tantôt.

MAÎTRE À DANSER

Une révérence pour saluer une marquise ?

MONSIEUR JOURDAIN

Oui : une marquise qui s'appelle Dorimène.

MAÎTRE À DANSER

Donnez-moi la main.

MONSIEUR JOURDAIN

Non. Vous n'avez qu'à faire : je le retiendrai bien.

MAÎTRE À DANSER

Si vous voulez la saluer avec beaucoup de respect, il faut faire d'abord une révérence en arrière, puis marcher vers elle avec trois révérences en avant, et à la dernière vous baisser jusqu'à ses genoux.

MONSIEUR JOURDAIN

Faites un peu. Bon.

PREMIER LAQUAIS

Monsieur, voilà votre maître d'armes qui est là.

MONSIEUR JOURDAIN

Dis-lui qu'il entre ici pour me donner leçon. Je veux que vous me voyiez faire.

SCÈNE 2

Maître d'armes, maître de musique, maître à danser, monsieur Jourdain, deux laquais

MAÎTRE D'ARMES, *après lui avoir mis le fleuret à la main.*

Allons, monsieur, la révérence. Votre corps droit. Un peu penché sur la cuisse gauche. Les jambes point tant écartées. Vos pieds sur une même ligne. Votre poignet à l'opposite de votre hanche. La pointe de votre épée vis-à-vis de votre épaule. Le bras pas tout à fait si étendu. La main gauche à la hauteur de l'œil. L'épaule gauche plus quartée [1]. La tête droite. Le regard assuré. Avancez. Le corps ferme. Touchez-moi l'épée de quarte, et achevez de même. Une, deux. Remettez-vous. Redoublez de pied ferme. Un saut en arrière. Quand vous portez la botte [2], monsieur, il faut que l'épée parte la première, et que le corps soit bien effacé. Une, deux. Allons, touchez-moi

---

1. Quatrième des huit positions classiques d'attaque ou de parade.
2. Porter un coup à l'adversaire avec le fleuret, l'épée.

l'épée de tierce, et achevez de même. Avancez. Le corps ferme. Avancez. Partez de là. Une, deux. Remettez-vous. Redoublez. Un saut en arrière. En garde, monsieur, en garde.

Le maître d'armes lui pousse deux ou trois bottes, en lui disant : « En garde ».

MONSIEUR JOURDAIN

Euh ?

MAÎTRE DE MUSIQUE

Vous faites des merveilles.

MAÎTRE D'ARMES

Je vous l'ai déjà dit, tout le secret des armes ne consiste qu'en deux choses, à donner, et à ne point recevoir ; et comme je vous fis voir l'autre jour par raison démonstrative, il est impossible que vous receviez, si vous savez détourner l'épée de votre ennemi de la ligne de votre corps : ce qui ne dépend seulement que d'un petit mouvement du poignet ou en dedans, ou en dehors.

MONSIEUR JOURDAIN

De cette façon donc, un homme, sans avoir du cœur, est sûr de tuer son homme, et de n'être point tué ?

MAÎTRES D'ARMES

Sans doute. N'en vîtes-vous pas la démonstration ?

MONSIEUR JOURDAIN

Oui.

MAÎTRE D'ARMES

Et c'est en quoi l'on voit de quelle considération, nous autres, nous devons être dans un État, et combien la science des armes l'emporte hautement sur toutes les autres sciences inutiles, comme la danse, la musique, la...

MAÎTRE À DANSER

Tout beau, monsieur le tireur d'armes : ne parlez de la danse qu'avec respect.

MAÎTRE DE MUSIQUE

Apprenez, je vous prie, à mieux traiter l'excellence de la musique.

MAÎTRE D'ARMES

Vous êtes de plaisantes gens, de vouloir comparer vos sciences à la mienne !

MAÎTRE DE MUSIQUE

Voyez un peu l'homme d'importance !

MAÎTRE À DANSER

Voilà un plaisant animal, avec son plastron !

MAÎTRE D'ARMES

Mon petit maître à danser, je vous ferai danser comme il faut. Et vous, mon petit musicien, je vous ferai chanter de la belle manière.

MAÎTRE À DANSER

Monsieur le batteur de fer, je vous apprendrai votre métier.

MONSIEUR JOURDAIN, *au maître à danser*

Êtes-vous fou de l'aller quereller, lui qui entend la tierce et la quarte, et qui sait tuer un homme par raison démonstrative ?

MAÎTRE À DANSER

Je me moque de sa raison démonstrative, et de sa tierce et de sa quarte.

MONSIEUR JOURDAIN

Tout doux, vous dis-je.

MAÎTRE D'ARMES

Comment ? petit impertinent.

MONSIEUR JOURDAIN

Eh ! mon maître d'armes.

MAÎTRE À DANSER
Comment ? grand cheval de carrosse.

MONSIEUR JOURDAIN
Eh ! mon maître à danser.

MAÎTRE D'ARMES
Si je me jette sur vous...

MONSIEUR JOURDAIN
Doucement.

MAÎTRE À DANSER
Si je mets sur vous la main...

MONSIEUR JOURDAIN
Tout beau.

MAÎTRE D'ARMES
Je vous étrillerai d'un air...

MONSIEUR JOURDAIN
De grâce !

MAÎTRE À DANSER
Je vous rosserai d'une manière...

MONSIEUR JOURDAIN
Je vous prie.

MAÎTRE DE MUSIQUE
Laissez-nous un peu lui apprendre à parler.

MONSIEUR JOURDAIN
Mon Dieu ! arrêtez-vous.

SCÈNE 3
Maître de philosophie, maître de musique,
maître à danser, maître d'armes, monsieur Jourdain,
laquais

MONSIEUR JOURDAIN

Holà, monsieur le philosophe, vous arrivez tout à propos avec votre philosophie. Venez un peu mettre la paix
entre ces personnes-ci.

MAÎTRE DE PHILOSOPHIE

Qu'est-ce donc ? qu'y a-t-il, messieurs ?

MONSIEUR JOURDAIN

Ils se sont mis en colère pour la préférence de leurs
professions, jusqu'à se dire des injures, et vouloir en venir
aux mains.

MAÎTRE DE PHILOSOPHIE

Hé quoi ? messieurs, faut-il s'emporter de la sorte ? et
n'avez-vous point lu le docte traité que Sénèque a composé
de la colère ? Y a-t-il rien de plus bas et de plus honteux
que cette passion, qui fait d'un homme une bête féroce ?
et la raison ne doit-elle pas être maîtresse de tous nos
mouvements ?

MAÎTRE À DANSER

Comment, monsieur, il vient nous dire des injures à tous
deux, en méprisant la danse que j'exerce, et la musique
dont il fait profession ?

MAÎTRE DE PHILOSOPHIE

Un homme sage est au-dessus de toutes les injures qu'on
lui peut dire, et la grande réponse qu'on doit faire aux
outrages, c'est la modération et la patience.

MAÎTRE D'ARMES

Ils ont tous deux l'audace de vouloir comparer leurs
professions à la mienne.

MAÎTRE DE PHILOSOPHIE

Faut-il que cela vous émeuve ? Ce n'est pas de vaine gloire et de condition que les hommes doivent disputer entre eux ; et ce qui nous distingue parfaitement les uns des autres, c'est la sagesse et la vertu.

MAÎTRE À DANSER

Je lui soutiens que la danse est une science à laquelle on ne peut faire assez d'honneur.

MAÎTRE DE MUSIQUE

Et moi, que la musique en est une que tous les siècles ont révérée.

MAÎTRE D'ARMES

Et moi, je leur soutiens à tous deux que la science de tirer des armes est la plus belle et la plus nécessaire de toutes les sciences.

MAÎTRE DE PHILOSOPHIE

Et que sera donc la philosophie ? Je vous trouve tous trois bien impertinents de parler devant moi avec cette arrogance, et de donner impudemment le nom de science à des choses que l'on ne doit pas même honorer du nom d'art, et qui ne peuvent être comprises que sous le nom de métier misérable de gladiateur, de chanteur et de baladin [1] !

MAÎTRE D'ARMES

Allez, philosophe de chien.

MAÎTRE DE MUSIQUE

Allez, bélître de pédant.

MAÎTRE À DANSER

Allez, cuistre fieffé.

---

1. Danseur de ballets, bouffon de comédie.

MAÎTRE DE PHILOSOPHIE

Comment ? marauds que vous êtes...
*Le Philosophe se jette sur eux, et tous trois le chargent
de coups, et sortent en se battant.*

MONSIEUR JOURDAIN

Monsieur le Philosophe !

MAÎTRE DE PHILOSOPHIE

Infâmes ! coquins ! insolents !

MONSIEUR JOURDAIN

Monsieur le Philosophe !

MAÎTRE D'ARMES

La peste l'animal !

MONSIEUR JOURDAIN

Messieurs !

MAÎTRE DE PHILOSOPHIE

Impudents !

MONSIEUR JOURDAIN

Monsieur le Philosophe !

MAÎTRE À DANSER

Diantre soit de l'âne bâté !

MONSIEUR JOURDAIN

Messieurs !

MAÎTRE DE PHILOSOPHIE

Scélérats !

MONSIEUR JOURDAIN

Monsieur le Philosophe !

MAÎTRE DE MUSIQUE

Au diable l'impertinent !

MONSIEUR JOURDAIN

Messieurs !

MAÎTRE DE PHILOSOPHIE

Fripons ! gueux ! traîtres ! imposteurs ! *(Ils sortent.)*

MONSIEUR JOURDAIN

Monsieur le Philosophe, messieurs, monsieur le Philosophe, messieurs, monsieur le Philosophe ! Oh ! battez-vous tant qu'il vous plaira : je n'y saurais que faire, et n'irai pas gâter ma robe pour vous séparer. Je serais bien fou de m'aller fourrer parmi eux, pour recevoir quelque coup qui me ferait mal.

SCÈNE 4
Maître de philosophie, monsieur Jourdain

MAÎTRE DE PHILOSOPHIE, *en raccommodant son collet*.

Venons à notre leçon.

MONSIEUR JOURDAIN

Ah ! monsieur, je suis fâché des coups qu'ils vous ont donnés.

MAÎTRE DE PHILOSOPHIE

Cela n'est rien. Un philosophe sait recevoir comme il faut les choses, et je vais composer contre eux une satire du style de Juvénal, qui les déchirera de la belle façon. Laissons cela. Que voulez-vous apprendre ?

MONSIEUR JOURDAIN

Tout ce que je pourrai, car j'ai toutes les envies du monde d'être savant ; et j'enrage que mon père et ma mère ne m'aient pas fait bien étudier dans toutes les sciences, quand j'étais jeune.

•◆ Voir *Au fil du texte*, p. XIII.

MAÎTRE DE PHILOSOPHIE

Ce sentiment est raisonnable : *Nam sine doctrina vita est quasi mortis imago*. Vous entendez cela, et vous savez le latin sans doute ?

MONSIEUR JOURDAIN

Oui, mais faites comme si je ne le savais pas : expliquez-moi ce que cela veut dire.

MAÎTRE DE PHILOSOPHIE

Cela veut dire que *Sans la science, la vie est presque une image de la mort*.

MONSIEUR JOURDAIN

Ce latin-là a raison.

MAÎTRE DE PHILOSOPHIE

N'avez-vous point quelques principes, quelques commencements des sciences ?

MONSIEUR JOURDAIN

Oh ! oui, je sais lire et écrire.

MAÎTRE DE PHILOSOPHIE

Par où vous plaît-il que nous commencions ? Voulez-vous que je vous apprenne la logique ?

MONSIEUR JOURDAIN

Qu'est-ce que c'est que cette logique ?

MAÎTRE DE PHILOSOPHIE

C'est elle qui enseigne les trois opérations de l'esprit.

MONSIEUR JOURDAIN

Qui sont-elles, ces trois opérations de l'esprit ?

MAÎTRE DE PHILOSOPHIE

La première, la seconde et la troisième. La première est de bien concevoir par le moyen des universaux [1]. La

1. Ce qui est commun à plusieurs choses.

seconde, de bien juger par le moyen des catégories[1] ; et la troisième de bien tirer une conséquence par le moyen des figures *Barbara*, *Celarent*, *Darii*, *Ferio*, *Baralipton*, etc.

MONSIEUR JOURDAIN

Voilà des mots qui sont trop rébarbatifs. Cette logique-là ne me revient point. Apprenons autre chose qui soit plus joli.

MAÎTRE DE PHILOSOPHIE

Voulez-vous apprendre la morale ?

MONSIEUR JOURDAIN

La morale ?

MAÎTRE DE PHILOSOPHIE

Oui.

MONSIEUR JOURDAIN

Qu'est-ce qu'elle dit cette morale ?

MAÎTRE DE PHILOSOPHIE

Elle traite de la félicité, enseigne aux hommes à modérer leurs passions, et...

MONSIEUR JOURDAIN

Non, laissons cela. Je suis bilieux[2] comme tous les diables ; et il n'y a morale qui tienne, je me veux mettre en colère tout mon soûl, quand il m'en prend envie.

MAÎTRE DE PHILOSOPHIE

Est-ce la physique que vous voulez apprendre ?

MONSIEUR JOURDAIN

Qu'est-ce qu'elle chante cette physique ?

1. Classement des êtres de même nature.
2. Coléreux.

MAÎTRE DE PHILOSOPHIE

La physique est celle qui explique les principes des choses naturelles et les propriétés du corps ; qui discourt de la nature des éléments, des métaux, des minéraux, des pierres, des plantes et des animaux, et nous enseigne les causes de tous les météores [1], l'arc-en-ciel, les feux volants [2], les comètes, les éclairs, le tonnerre, la foudre, la pluie, la neige, la grêle, les vents et les tourbillons.

MONSIEUR JOURDAIN

Il y a trop de tintamarre là-dedans, trop de brouillamini.

MAÎTRE DE PHILOSOPHIE

Que voulez-vous donc que je vous apprenne ?

MONSIEUR JOURDAIN

Apprenez-moi l'orthographe.

MAÎTRE DE PHILOSOPHIE

Très volontiers.

MONSIEUR JOURDAIN

Après vous m'apprendrez l'almanach, pour savoir quand il y a de la lune et quand il n'y en a point.

MAÎTRE DE PHILOSOPHIE

Soit. Pour bien suivre votre pensée et traiter cette matière en philosophe, il faut commencer selon l'ordre des choses, par une exacte connaissance de la nature des lettres, et de la différente manière de les prononcer toutes. Et là-dessus j'ai à vous dire que les lettres sont divisées en voyelles, ainsi dites voyelles parce qu'elles expriment les voix, et en consonnes, ainsi appelées consonnes parce qu'elles sonnent avec les voyelles, et ne font que marquer les diverses articulations des voix. Il y a cinq voyelles ou voix : A, E, I, O, U.

1. Tout phénomène qui se produit dans l'atmosphère.
2. Feux follets.

MONSIEUR JOURDAIN

J'entends tout cela.

MAÎTRE DE PHILOSOPHIE

La voix A se forme en ouvrant fort la bouche : A.

MONSIEUR JOURDAIN

A, A. Oui.

MAÎTRE DE PHILOSOPHIE

La voix E se forme en rapprochant la mâchoire d'en bas de celle d'en haut : A, E.

MONSIEUR JOURDAIN

A, E, A, E. Ma foi ! oui. Ah ! que cela est beau.

MAÎTRE DE PHILOSOPHIE

Et la voix I en rapprochant encore davantage les mâchoires l'une de l'autre, et écartant les deux coins de la bouche vers les oreilles : A, E, I.

MONSIEUR JOURDAIN

A, E, I, I, I, I. Cela est vrai. Vive la science !

MAÎTRE DE PHILOSOPHIE

La voix O se forme en rouvrant les mâchoires, et rapprochant les lèvres par les deux coins, le haut et le bas : O.

MONSIEUR JOURDAIN

O, O. Il n'y a rien de plus juste. A, E, I, O, I, O. Cela est admirable ! I, O, I, O.

MAÎTRE DE PHILOSOPHIE

L'ouverture de la bouche fait justement comme un petit rond qui représente un O.

MONSIEUR JOURDAIN

O, O, O. Vous avez raison. O. Ah ! la belle chose que de savoir quelque chose !

MAÎTRE DE PHILOSOPHIE

La voix U se forme en rapprochant les dents sans les joindre entièrement, et allongeant les deux lèvres en dehors, les approchant aussi l'une de l'autre sans les joindre tout à fait : U.

MONSIEUR JOURDAIN

U, U. Il n'y a rien de plus véritable : U.

MAÎTRE DE PHILOSOPHIE

Vos deux lèvres s'allongent comme si vous faisiez la moue : d'où vient que si vous la voulez faire à quelqu'un, et vous moquer de lui, vous ne sauriez lui dire que : U.

MONSIEUR JOURDAIN

U, U. Cela est vrai. Ah ! que n'ai-je étudié plus tôt, pour savoir tout cela ?

MAÎTRE DE PHILOSOPHIE

Demain, nous verrons les autres lettres, qui sont les consonnes.

MONSIEUR JOURDAIN

Est-ce qu'il y a des choses aussi curieuses qu'à celles-ci ?

MAÎTRE DE PHILOSOPHIE

Sans doute. La consonne D, par exemple, se prononce en donnant du bout de la langue au-dessus des dents d'en haut ! DA.

MONSIEUR JOURDAIN

DA, DA. Oui. Ah ! les belles choses ! les belles choses !

MAÎTRE DE PHILOSOPHIE

L'F en appuyant les dents d'en haut sur la lèvre de dessous : FA.

MONSIEUR JOURDAIN

FA, FA. C'est la vérité. Ah ! mon père et ma mère, que je vous veux de mal !

MAÎTRE DE PHILOSOPHIE

Et l'R, en portant le bout de la langue jusqu'au haut du palais, de sorte qu'étant frôlée par l'air qui sort avec force, elle lui cède, et revient toujours au même endroit, faisant une manière de tremblement : RRA.

MONSIEUR JOURDAIN

R, R, RA, R, R, R, R, R, RA. Cela est vrai. Ah ! l'habile homme que vous êtes ! et que j'ai perdu de temps ! R, R, R, RA.

MAÎTRE DE PHILOSOPHIE

Je vous expliquerai à fond toutes ces curiosités.

MONSIEUR JOURDAIN

Je vous en prie. Au reste, il faut que je vous fasse une confidence. Je suis amoureux d'une personne de grande qualité, et je souhaiterais que vous m'aidassiez à lui écrire quelque chose dans un petit billet que je veux laisser tomber à ses pieds.

MAÎTRE DE PHILOSOPHIE

Fort bien.

MONSIEUR JOURDAIN

Cela sera galant, oui ?

MAÎTRE DE PHILOSOPHIE

Sans doute. Sont-ce des vers que vous lui voulez écrire ?

MONSIEUR JOURDAIN

Non, non, point de vers.

MAÎTRE DE PHILOSOPHIE

Vous ne voulez que de la prose ?

MONSIEUR JOURDAIN

Non, je ne veux ni prose ni vers.

MAÎTRE DE PHILOSOPHIE

Il faut bien que ce soit l'un ou l'autre.

MONSIEUR JOURDAIN

Pourquoi ?

MAÎTRE DE PHILOSOPHIE

Par la raison, monsieur, qu'il n'y a pour s'exprimer que la prose ou les vers.

MONSIEUR JOURDAIN

Il n'y a que la prose ou les vers ?

MAÎTRE DE PHILOSOPHIE

Non, monsieur : tout ce qui n'est point prose est vers ; et tout ce qui n'est point vers est prose.

MONSIEUR JOURDAIN

Et comme l'on parle, qu'est-ce que c'est donc que cela ?

MAÎTRE DE PHILOSOPHIE

De la prose.

MONSIEUR JOURDAIN

Quoi ? quand je dis : « Nicole apportez-moi mes pantoufles et me donnez mon bonnet de nuit », c'est de la prose ?

MAÎTRE DE PHILOSOPHIE

Oui, monsieur.

MONSIEUR JOURDAIN

Par ma foi ! il y a plus de quarante ans que je dis de la prose sans que j'en susse rien, et je vous suis le plus obligé du monde de m'avoir appris cela. Je voudrais donc lui mettre dans un billet : *Belle marquise, vos beaux yeux me font mourir d'amour* ; mais je voudrais que cela fût mis d'une manière galante, que cela fût tourné gentiment.

MAÎTRE DE PHILOSOPHIE

Mettre que les feux de ses yeux réduisent votre cœur en cendres ; que vous souffrez nuit et jour pour elle les violences d'un...

MONSIEUR JOURDAIN

Non, non, non, je ne veux point tout cela ; je ne veux que ce que je vous ai dit : *Belle marquise, vos beaux yeux me font mourir d'amour.*

MAÎTRE DE PHILOSOPHIE

Il faut bien étendre un peu la chose.

MONSIEUR JOURDAIN

Non, vous dis-je, je ne veux que ces seules paroles-là dans le billet ; mais tournées à la mode, bien arrangées comme il faut. Je vous prie de me dire un peu, pour voir, les diverses manières dont on les peut mettre.

MAÎTRE DE PHILOSOPHIE

On peut les mettre premièrement comme vous avez dit : *Belle marquise, vos beaux yeux me font mourir d'amour.* Ou bien . *D'amour mourir me font, belle marquise, vos beaux yeux.* Ou bien : *Vos beaux yeux d'amour me font, belle marquise, mourir.* Ou bien : *Mourir vos beaux yeux, belle marquise, d'amour me font.* Ou bien : *Me font vos yeux beaux mourir, belle marquise, d'amour.*

MONSIEUR JOURDAIN

Mais de toutes ces façons-là, laquelle est la meilleure ?

MAÎTRE DE PHILOSOPHIE

Celle que vous avez dite : *Belle marquise, vos beaux yeux me font mourir d'amour.*

MONSIEUR JOURDAIN

Cependant je n'ai point étudié, et j'ai fait cela tout du premier coup. Je vous remercie de tout mon cœur, et vous prie de venir demain de bonne heure.

MAÎTRE DE PHILOSOPHIE

Je n'y manquerai pas.

MONSIEUR JOURDAIN, *à son laquais.*

Comment ? mon habit n'est point encore arrivé ?

SECOND LAQUAIS

Non, monsieur.

MONSIEUR JOURDAIN

Ce maudit tailleur me fait bien attendre pour un jour
où j'ai tant d'affaires. J'enrage. Que la fièvre quartaine
puisse serrer bien fort le bourreau de tailleur ! Au diable
le tailleur ! La peste étouffe le tailleur ! Si je le tenais
maintenant, ce tailleur détestable, ce chien de tailleur-là,
ce traître de tailleur, je...

SCÈNE 5
Maître tailleur, garçon tailleur
portant l'habit de monsieur Jourdain,
monsieur Jourdain, laquais

MONSIEUR JOURDAIN

Ah vous voilà ! je m'allais mettre en colère contre vous.

MAÎTRE TAILLEUR

Je n'ai pas pu venir plus tôt, et j'ai mis vingt garçons
après votre habit.

MONSIEUR JOURDAIN

Vous m'avez envoyé des bas de soie si étroits, que j'ai
eu toutes les peines du monde à les mettre, et il y a déjà
deux mailles de rompues.

MAÎTRE TAILLEUR

Ils ne s'élargiront que trop.

MONSIEUR JOURDAIN

Oui, si je romps toujours des mailles. Vous m'avez aussi
fait faire des souliers qui me blessent furieusement[1].

---

1. Affreusement.

Voir *Au fil du texte*, p. XIV.

MAÎTRE TAILLEUR

Point du tout, monsieur.

MONSIEUR JOURDAIN

Comment, point du tout ?

MAÎTRE TAILLEUR

Non, ils ne vous blessent point.

MONSIEUR JOURDAIN

Je vous dis qu'ils me blessent, moi.

MAÎTRE TAILLEUR

Vous vous imaginez cela.

MONSIEUR JOURDAIN

Je me l'imagine, parce que je le sens. Voyez la belle raison !

MAÎTRE TAILLEUR

Tenez, voilà le plus bel habit de la cour, et le mieux assorti. C'est un chef-d'œuvre que d'avoir inventé un habit sérieux qui ne fût pas noir ; et je le donne en six coups [1] aux tailleurs les plus éclairés.

MONSIEUR JOURDAIN

Qu'est-ce que c'est que ceci ? Vous avez mis les fleurs en enbas.

MAÎTRE TAILLEUR

Vous ne m'aviez pas dit que vous les vouliez en enhaut.

MONSIEUR JOURDAIN

Est-ce qu'il faut dire cela ?

MAÎTRE TAILLEUR

Oui, vraiment. Toutes les personnes de qualité les portent de la sorte.

1. Je le donne en mille.

MONSIEUR JOURDAIN

Les personnes de qualité portent les fleurs en enbas ?

MAÎTRE TAILLEUR

Oui, monsieur.

MONSIEUR JOURDAIN

Oh ! voilà qui est donc bien.

MAÎTRE TAILLEUR

Si vous voulez, je les mettrai en enhaut.

MONSIEUR JOURDAIN

Non, non.

MAÎTRE TAILLEUR

Vous n'avez qu'à dire.

MONSIEUR JOURDAIN

Non, vous dis-je ; vous avez bien fait. Croyez-vous que l'habit m'aille bien ?

MAÎTRE TAILLEUR

Belle demande ! Je défie un peintre, avec son pinceau, de vous faire rien de plus juste. J'ai chez moi un garçon qui, pour monter une rhingrave [1], est le plus grand génie du monde ; et un autre qui, pour assembler un pourpoint, est le héros de notre temps.

MONSIEUR JOURDAIN

La perruque et les plumes sont-elles comme il faut ?

MAÎTRE TAILLEUR

Tout est bien.

MONSIEUR JOURDAIN, *en regardant l'habit du tailleur.*

Ah ! ah ! monsieur le tailleur, voilà de mon étoffe du dernier habit que vous m'avez fait. Je la reconnais bien.

1. Cf. lexique.

MAÎTRE TAILLEUR

C'est que l'étoffe me sembla si belle, que j'en ai voulu lever un habit pour moi.

MONSIEUR JOURDAIN

Oui, mais il ne fallait pas le lever [1] avec le mien.

MAÎTRE TAILLEUR

Voulez-vous mettre votre habit ?

MONSIEUR JOURDAIN

Oui, donnez-moi.

MAÎTRE TAILLEUR

Attendez. Cela ne va pas comme cela. J'ai amené des gens pour vous habiller en cadence, et ces sortes d'habits se mettent avec cérémonie. Holà ! entrez, vous autres. Mettez cet habit à monsieur, de la manière que vous faites aux personnes de qualité.

Quatre garçons tailleurs entrent, dont deux lui arrachent le haut-de-chausses de ses exercices, et deux autres la camisole, puis ils lui mettent son habit neuf ; et Monsieur Jourdain se promène entre eux, et leur montre son habit, pour voir s'il est bien. Le tout à la cadence de toute la symphonie.

GARÇON TAILLEUR

Mon gentilhomme, donnez, s'il vous plaît, aux garçons quelque chose pour boire.

MONSIEUR JOURDAIN

Comment m'appelez-vous ?

GARÇON TAILLEUR

Mon gentilhomme.

1. Prélever.

MONSIEUR JOURDAIN

« Mon gentilhomme ! » Voilà ce que c'est de se mettre en personne de qualité. Allez-vous-en demeurer toujours habillé en bourgeois, on ne vous dira point : « Mon gentilhomme. » Tenez, voilà pour « Mon gentilhomme ».

GARÇON TAILLEUR

Monseigneur, nous vous sommes bien obligés.

MONSIEUR JOURDAIN

« Monseigneur », oh, oh ! « Monseigneur ! » Attendez, mon ami : « Monseigneur » mérite quelque chose et ce n'est pas une petite parole que « Monseigneur ». Tenez, voilà ce que Monseigneur vous donne.

GARÇON TAILLEUR

Monseigneur, nous allons boire tous à la santé de Votre Grandeur.

MONSIEUR JOURDAIN

« Votre Grandeur ! » Oh, oh, oh ! Attendez, ne vous en allez pas. À moi « Votre Grandeur ! » *(Bas, à part.)* Ma foi, s'il va jusqu'à l'Altesse, il aura toute la bourse. *(Haut.)* Tenez, voilà pour Ma Grandeur.

GARÇON TAILLEUR

Monseigneur, nous la remercions très humblement de ses libéralités.

MONSIEUR JOURDAIN

Il a bien fait : je lui allais tout donner.

Les quatre garçons tailleurs se réjouissent par une danse, qui fait le second intermède.

ACTE III

SCÈNE 1
Monsieur Jourdain, laquais

MONSIEUR JOURDAIN

Suivez-moi, que j'aille un peu montrer mon habit par la ville ; et surtout ayez soin tous deux de marcher immédiatement sur mes pas, afin qu'on voie bien que vous êtes à moi.

LAQUAIS

Oui, monsieur.

MONSIEUR JOURDAIN

Appelez-moi Nicole, que je lui donne quelques ordres. Ne bougez, la voilà.

SCÈNE 2
Nicole, monsieur Jourdain, laquais   ◆■

MONSIEUR JOURDAIN

Nicole !

NICOLE

Plaît-il ?

MONSIEUR JOURDAIN

Écoutez.

NICOLE

Hi, hi, hi, hi, hi !

MONSIEUR JOURDAIN

Qu'as-tu à rire ?

●◆ Voir *Au fil du texte*, p. XV.

NICOLE

Hi, hi, hi, hi, hi, hi !

MONSIEUR JOURDAIN

Que veut dire cette coquine-là ?

NICOLE

Hi, hi, hi. Comme vous voilà bâti[1] ! Hi, hi, hi !

MONSIEUR JOURDAIN

Comment donc ?

NICOLE

Ah, ah ! mon Dieu ! Hi, hi, hi, hi, hi !

MONSIEUR JOURDAIN

Quelle friponne est-ce là ! Te moques-tu de moi ?

NICOLE

Nenni, monsieur, j'en serais bien fâchée. Hi, hi, hi, hi, hi, hi !

MONSIEUR JOURDAIN

Je te baillerai[2] sur le nez, si tu ris davantage.

NICOLE

Monsieur, je ne puis pas m'en empêcher. Hi, hi, hi, hi, hi, hi !

MONSIEUR JOURDAIN

Tu ne t'arrêteras pas ?

NICOLE

Monsieur, je vous demande pardon ; mais vous êtes si plaisant, que je ne saurais me tenir de rire. Hi, hi, hi !

MONSIEUR JOURDAIN

Mais voyez quelle insolence !

1. Accoutré.
2. Donner (des coups).

NICOLE

Vous êtes tout à fait drôle comme cela. Hi, hi !

MONSIEUR JOURDAIN

Je te...

NICOLE

Je vous prie de m'excuser. Hi, hi, hi, hi !

MONSIEUR JOURDAIN

Tiens, si tu ris encore le moins du monde, je te jure que je t'appliquerai sur la joue le plus grand soufflet qui se soit jamais donné.

NICOLE

Hé bien, monsieur, voilà qui est fait, je ne rirai plus.

MONSIEUR JOURDAIN

Prends-y bien garde. Il faut que pour tantôt tu nettoies...

NICOLE

Hi, hi !

MONSIEUR JOURDAIN

Que tu nettoies comme il faut...

NICOLE

Hi, hi !

MONSIEUR JOURDAIN

Il faut, dis-je, que tu nettoies la salle, et...

NICOLE

Hi, hi !

MONSIEUR JOURDAIN

Encore !

NICOLE

Tenez, monsieur, battez-moi plutôt et me laissez rire tout mon soûl, cela me fera plus de bien. Hi, hi, hi, hi, hi !

MONSIEUR JOURDAIN

J'enrage.

NICOLE

De grâce, monsieur, je vous prie de me laisser rire. Hi, hi, hi !

MONSIEUR JOURDAIN

Si je te prends...

NICOLE

Monsieur, eur, je crèverai, ai, si je ne ris. Hi, hi, hi !

MONSIEUR JOURDAIN

Mais a-t-on jamais vu une pentarde comme celle-là ? qui me vient rire insolemment au nez, au lieu de recevoir mes ordres ?

NICOLE

Que voulez-vous que je fasse, monsieur ?

MONSIEUR JOURDAIN

Que tu songes, coquine, à préparer ma maison pour la compagnie qui doit venir tantôt.

NICOLE

Ah, par ma foi ! je n'ai plus envie de rire ; et toutes vos compagnies font tant de désordre céans, que ce mot est assez pour me mettre en mauvaise humeur.

MONSIEUR JOURDAIN

Ne dois-je point pour toi fermer ma porte à tout le monde ?

NICOLE

Vous devriez au moins la fermer à certaines gens.

SCÈNE 3
Madame Jourdain, monsieur Jourdain, Nicole, laquais

MADAME JOURDAIN

Ah ! ah ! voici une nouvelle histoire. Qu'est-ce que c'est donc, mon mari, que cet équipage-là ? Vous moquez-vous du monde, de vous être fait enharnacher [1] de la sorte et avez-vous envie qu'on se raille partout de vous ?

MONSIEUR JOURDAIN

Il n'y a que des sots et des sottes, ma femme, qui se railleront de moi.

MADAME JOURDAIN

Vraiment on n'a pas attendu jusqu'à cette heure, et il y a longtemps que vos façons de faire donnent à rire à tout le monde.

MONSIEUR JOURDAIN

Qui est donc tout ce monde-là, s'il vous plaît ?

MADAME JOURDAIN

Tout ce monde-là est un monde qui a raison, et qui est plus sage que vous. Pour moi, je suis scandalisée de la vie que vous menez. Je ne sais plus ce que c'est que notre maison : on dirait qu'il est céans carême-prenant [2] tous les jours ; et dès le matin, de peur d'y manquer, on y entend des vacarmes de violons et de chanteurs, dont tout le voisinage se trouve incommodé.

NICOLE

Madame parle bien. Je ne saurais plus voir mon ménage propre, avec cet attirail de gens que vous faites venir chez vous. Ils ont des pieds qui vont chercher de la boue dans tous les quartiers de la ville, pour l'apporter ici ; et la

1. Accoutrer.
2. Mardi-gras, carnaval.

pauvre Françoise est presque sur les dents, à frotter les planchers que vos biaux maîtres viennent crotter [1] régulièrement tous les jours.

MONSIEUR JOURDAIN

Ouais, notre servante Nicole, vous avez le caquet bien affilé [2] pour une paysanne.

MADAME JOURDAIN

Nicole a raison et son sens est meilleur que le vôtre. Je voudrais bien savoir ce que vous pensez faire d'un maître à danser à l'âge que vous avez.

NICOLE

Et d'un grand maître tireur d'armes, qui vient, avec ses battements de pied, ébranler toute la maison, et nous déraciner tous les carriaux de notre salle ?

MONSIEUR JOURDAIN

Taisez-vous, ma servante, et ma femme.

MADAME JOURDAIN

Est-ce que vous voulez apprendre à danser pour quand vous n'aurez plus de jambes ?

NICOLE

Est-ce que vous avez envie de tuer quelqu'un ?

MONSIEUR JOURDAIN

Taisez-vous, vous dis-je : vous êtes des ignorantes l'une et l'autre, et vous ne savez pas les prérogatives de tout cela.

MADAME JOURDAIN

Vous devriez plutôt songer à marier votre fille, qui est en âge d'être pourvue.

MONSIEUR JOURDAIN

Je songerai à marier ma fille quand il se présentera un parti pour elle, mais je veux songer aussi à apprendre les belles choses.

1. Salir avec de la boue.
2. Médisant.

NICOLE

J'ai encore ouï dire, madame, qu'il a pris aujourd'hui, pour renfort de potage, un maître de philosophie.

MONSIEUR JOURDAIN

Fort bien : je veux avoir de l'esprit, et savoir raisonner des choses parmi les honnêtes gens.

MADAME JOURDAIN

N'irez-vous point l'un de ces jours au collège vous faire donner le fouet à votre âge ?

MONSIEUR JOURDAIN

Pourquoi non ? Plût à Dieu l'avoir tout à l'heure, le fouet, devant tout le monde, et savoir ce qu'on apprend au collège !

NICOLE

Oui, ma foi ! cela vous rendrait la jambe bien mieux faite.

MONSIEUR JOURDAIN

Sans doute.

MADAME JOURDAIN

Tout cela est fort nécessaire pour conduire votre maison.

MONSIEUR JOURDAIN

Assurément. Vous parlez toutes deux comme des bêtes, et j'ai honte de votre ignorance. *(À Mme Jourdain.)* Par exemple savez-vous, vous, ce que c'est que vous dites à cette heure ?

MADAME JOURDAIN

Oui, je sais que ce que je dis est fort bien dit, et que vous devriez songer à vivre d'autre sorte.

MONSIEUR JOURDAIN

Je ne parle pas de cela. Je vous demande ce que c'est que les paroles que vous dites ici ?

MADAME JOURDAIN

Ce sont des paroles bien sensées, et votre conduite ne l'est guère.

MONSIEUR JOURDAIN

Je ne parle pas de cela, vous dis-je. Je vous demande : ce que je parle avec vous, ce que je vous dis à cette heure, qu'est-ce que c'est ?

MADAME JOURDAIN

Des chansons [1].

MONSIEUR JOURDAIN

Hé non ! ce n'est pas cela. Ce que nous disons tous deux, le langage que nous parlons à cette heure ?

MADAME JOURDAIN

Hé bien ?

MONSIEUR JOURDAIN

Comment est-ce que cela s'appelle ?

MADAME JOURDAIN

Cela s'appelle comme on veut l'appeler.

MONSIEUR JOURDAIN

C'est de la prose, ignorante.

MADAME JOURDAIN

De la prose ?

MONSIEUR JOURDAIN

Oui, de la prose. Tout ce qui est prose n'est point vers ; et tout ce qui n'est point vers n'est point prose. Heu, voilà ce que c'est d'étudier. *(À Nicole.)* Et toi, sais-tu bien comme il faut faire pour dire un U ?

---

1. Sornettes.

NICOLE

Comment ?

MONSIEUR JOURDAIN

Oui. Qu'est-ce que tu fais quand tu dis un U ?

NICOLE

Quoi ?

MONSIEUR JOURDAIN

Dis un peu U, pour voir ?

NICOLE

Hé bien, U.

MONSIEUR JOURDAIN

Qu'est-ce que tu fais ?

NICOLE

Je dis U.

MONSIEUR JOURDAIN

Oui, mais quand tu dis U, qu'est-ce que tu fais ?

NICOLE

Je fais ce que vous me dites.

MONSIEUR JOURDAIN

Ô l'étrange chose que d'avoir affaire à des bêtes ! Tu allonges les lèvres en dehors et approches la mâchoire d'en haut de celle d'en bas : U, vois-tu ? U. Je fais la moue : U.

NICOLE

Oui, cela est biau.

MADAME JOURDAIN

Voilà qui est admirable.

MONSIEUR JOURDAIN

C'est bien autre chose, si vous aviez vu O, et DA, DA, et FA, FA.

MADAME JOURDAIN

Qu'est-ce que c'est donc que tout ce galimatias-là ?

NICOLE

De quoi est-ce que tout cela guérit ?

MONSIEUR JOURDAIN

J'enrage quand je vois des femmes ignorantes.

MADAME JOURDAIN

Allez, vous devriez envoyer promener tous ces gens-là, avec leurs fariboles [1].

NICOLE

Et surtout ce grand escogriffe [2] de maître d'armes, qui remplit de poudre [3] tout mon ménage.

MONSIEUR JOURDAIN

Ouais, ce maître d'armes vous tient fort au cœur. Je te veux faire voir ton impertinence tout à l'heure. *(Il fait apporter les fleurets et en donne un à Nicole.)* Tiens. Raison démonstrative, la ligne du corps. Quand on pousse en quarte, on n'a qu'à faire cela, et quand on pousse en tierce, on n'a qu'à faire cela. Voilà le moyen de n'être jamais tué ; et cela n'est-il pas beau d'être assuré de son fait, quand on se bat contre quelqu'un ? Là, pousse-moi un peu pour voir.

NICOLE

Hé bien, quoi ? *(Nicole lui pousse plusieurs coups.)*

MONSIEUR JOURDAIN

Tout beau, holà, oh ! doucement. Diantre soit la coquine.

NICOLE

Vous me dites de pousser.

1. Bêtises.
2. Homme de grande taille et d'allure dégingandée.
3. Poussière.

MONSIEUR JOURDAIN

Oui ; mais tu pousses en tierce, avant que de pousser en quarte, et tu n'as pas la patience que je pare.

MADAME JOURDAIN

Vous êtes fou, mon mari, avec toutes vos fantaisies, et cela vous est venu depuis que vous vous mêlez de hanter la noblesse.

MONSIEUR JOURDAIN

Lorsque je hante la noblesse, je fais paraître mon jugement, et cela est plus beau que de hanter votre bourgeoisie.

MADAME JOURDAIN

Çamon[1] vraiment ! il y a fort à gagner à fréquenter vos nobles, et vous avez bien opéré avec ce beau monsieur le comte dont vous vous êtes embéguiné.

MONSIEUR JOURDAIN

Paix ! Songez à ce que vous dites. Savez-vous bien, ma femme, que vous ne savez pas de qui vous parlez, quand vous parlez de lui ? C'est une personne d'importance plus que vous ne pensez, un seigneur que l'on considère à la cour, et qui parle au Roi tout comme je vous parle. N'est-ce pas une chose qui m'est tout à fait honorable, que l'on voie venir chez moi si souvent une personne de cette qualité, qui m'appelle son cher ami, et me traite comme si j'étais son égal ? Il a pour moi des bontés qu'on ne devinerait jamais ; et, devant tout le monde, il me fait des caresses dont je suis moi-même confus.

MADAME JOURDAIN

Oui, il a des bontés pour vous, et vous fait des caresses, mais il vous emprunte votre argent.

MONSIEUR JOURDAIN

Hé bien ! ne m'est-ce pas de l'honneur de prêter de l'argent à un homme de cette condition là ? et puis-je faire moins pour un seigneur qui m'appelle son cher ami ?

---

1. Interjection d'origine populaire qui renforce l'adverbe « vraiment ».

MADAME JOURDAIN

Et ce seigneur que fait-il pour vous ?

MONSIEUR JOURDAIN

Des choses dont on serait étonné, si on les savait.

MADAME JOURDAIN

Et quoi ?

MONSIEUR JOURDAIN

Baste, je ne puis pas m'expliquer. Il suffit que, si je lui ai prêté de l'argent, il me le rendra bien, et avant qu'il soit peu.

MADAME JOURDAIN

Oui, attendez-vous à cela.

MONSIEUR JOURDAIN

Assurément : ne me l'a-t-il pas dit ?

MADAME JOURDAIN

Oui, oui : il ne manquera pas d'y faillir.

MONSIEUR JOURDAIN

Il m'a juré sa foi de gentilhomme.

MADAME JOURDAIN

Chansons.

MONSIEUR JOURDAIN

Ouais, vous êtes bien obstinée, ma femme. Je vous dis qu'il tiendra parole, j'en suis sûr.

MADAME JOURDAIN

Et moi, je suis sûre que non, et que toutes les caresses qu'il vous fait ne sont que pour vous enjôler.

MONSIEUR JOURDAIN

Taisez-vous : le voici.

MADAME JOURDAIN

Il ne nous faut plus que cela. Il vient peut-être encore vous faire quelque emprunt ; et il me semble que j'ai dîné quand je le vois.

MONSIEUR JOURDAIN

Taisez-vous, vous dis-je.

SCÈNE 4

Dorante, monsieur Jourdain, madame Jourdain, Nicole

DORANTE

Mon cher ami, monsieur Jourdain, comment vous portez-vous ?

MONSIEUR JOURDAIN

Fort bien, monsieur, pour vous rendre mes petits services.

DORANTE

Et madame Jourdain que voilà, comment se porte-t-elle ?

MADAME JOURDAIN

Madame Jourdain se porte comme elle peut.

DORANTE

Comment, monsieur Jourdain ? vous voilà le plus propre [1] du monde !

MONSIEUR JOURDAIN

Vous voyez.

DORANTE

Vous avez tout à fait bon air avec cet habit, et nous n'avons point de jeunes gens à la cour qui soient mieux faits que vous.

MONSIEUR JOURDAIN

Hay, hay.

MADAME JOURDAIN, *à part*

Il le gratte par où il se démange.

1. Bien habillé.

DORANTE

Tournez-vous. Cela est tout à fait galant.

MADAME JOURDAIN, *à part.*

Oui, aussi sot par-derrière que par-devant.

DORANTE

Ma foi ! monsieur Jourdain, j'avais une impatience étrange de vous voir. Vous êtes l'homme du monde que j'estime le plus, et je parlais de vous encore ce matin dans la chambre du Roi.

MONSIEUR JOURDAIN

Vous me faites beaucoup d'honneur, monsieur. *(À Mme Jourdain.)* Dans la chambre du Roi !

DORANTE

Allons, mettez...

MONSIEUR JOURDAIN

Monsieur, je sais le respect que je vous dois.

DORANTE

Mon Dieu ! mettez : point de cérémonie entre nous, je vous prie.

MONSIEUR JOURDAIN

Monsieur...

DORANTE

Mettez, vous dis-je, monsieur Jourdain : vous êtes mon ami.

MONSIEUR JOURDAIN

Monsieur, je suis votre serviteur.

DORANTE

Je ne me couvrirai point, si vous ne vous couvrez.

MONSIEUR JOURDAIN, *se couvrant.*

J'aime mieux être incivil qu'importun.

DORANTE

Je suis votre débiteur, comme vous le savez.

MADAME JOURDAIN, *à part*.

Oui, nous ne le savons que trop.

DORANTE

Vous m'avez généreusement prêté de l'argent en plusieurs occasions, et vous m'avez obligé de la meilleure grâce du monde, assurément.

MONSIEUR JOURDAIN

Monsieur, vous vous moquez.

DORANTE

Mais je sais rendre ce qu'on me prête, et reconnaître les plaisirs qu'on me fait.

MONSIEUR JOURDAIN

Je n'en doute point, monsieur.

DORANTE

Je veux sortir d'affaire avec vous, et je viens ici pour faire nos comptes ensemble.

MONSIEUR JOURDAIN, *bas, à Mme Jourdain*.

Hé bien ! vous voyez votre impertinence, ma femme.

DORANTE

Je suis homme qui aime à m'acquitter le plus tôt que je puis.

MONSIEUR JOURDAIN, *bas, à Mme Jourdain*.

Je vous le disais bien.

DORANTE

Voyons un peu ce que je vous dois.

MONSIEUR JOURDAIN, *bas, à Mme Jourdain*.

Vous voilà, avec vos soupçons ridicules.

DORANTE

Vous souvenez-vous bien de tout l'argent que vous m'avez prêté ?

MONSIEUR JOURDAIN

Je crois que oui. J'en ai fait un petit mémoire. Le voici. Donné à vous une fois deux cents louis.

DORANTE

Cela est vrai.

MONSIEUR JOURDAIN

Une autre fois six-vingts [1].

DORANTE

Oui.

MONSIEUR JOURDAIN

Et une autre fois cent quarante.

DORANTE

Vous avez raison.

MONSIEUR JOURDAIN

Ces trois articles font quatre cent soixante louis, qui valent cinq mille soixante livres.

DORANTE

Le compte est fort bon. Cinq mille soixante livres.

MONSIEUR JOURDAIN

Mille huit cent trente-deux livres à votre plumassier [2].

DORANTE

Justement.

MONSIEUR JOURDAIN

Deux mille sept cent quatre-vingts livres à votre tailleur.

1. Cent vingt.
2. Marchand de plumes pour orner les chapeaux.

DORANTE

Il est vrai.

MONSIEUR JOURDAIN

Quatre mille trois cent septante-neuf livres douze sols huit deniers à votre marchand.

DORANTE

Fort bien. Douze sols huit deniers : le compte est juste.

MONSIEUR JOURDAIN

Et mille sept cent quarante-huit livres sept sols quatre deniers à votre sellier.

DORANTE

Tout cela est véritable. Qu'est-ce que cela fait ?

MONSIEUR JOURDAIN

Somme totale, quinze mille huit cents livres.

DORANTE

Somme totale est juste : quinze mille huit cents livres. Mettez encore deux cents pistoles que vous m'allez donner, cela fera justement dix-huit mille francs, que je vous paierai au premier jour.

MADAME JOURDAIN, *bas, à M. Jourdain.*

Eh bien ! ne l'avais-je pas bien deviné ?

MONSIEUR JOURDAIN, *bas, à M*me *Jourdain.*

Paix !

DORANTE

Cela vous incommodera-t-il de me donner ce que je vous dis ?

MONSIEUR JOURDAIN

Eh non !

MADAME JOURDAIN, *bas, à M. Jourdain.*

Cet homme-là fait de vous une vache à lait.

MONSIEUR JOURDAIN, *bas, à Mme Jourdain.*
Taisez-vous.

DORANTE

Si cela vous incommode, j'en irai chercher ailleurs.

MONSIEUR JOURDAIN

Non, monsieur.

MADAME JOURDAIN, *bas, à M. Jourdain.*
Il ne sera pas content, qu'il ne vous ait ruiné.

MONSIEUR JOURDAIN, *bas, à Mme Jourdain.*
Taisez-vous, vous dis-je.

DORANTE

Vous n'avez qu'à me dire si cela vous embarrasse.

MONSIEUR JOURDAIN

Point, monsieur.

MADAME JOURDAIN, *bas, à M. Jourdain.*
C'est un vrai enjôleux.

MONSIEUR JOURDAIN, *bas, à Mme Jourdain.*
Taisez-vous donc.

MADAME JOURDAIN, *bas, à M. Jourdain.*
Il vous sucera jusqu'au dernier sou.

MONSIEUR JOURDAIN, *bas, à Mme Jourdain.*
Vous tairez-vous ?

DORANTE

J'ai force gens qui m'en prêteraient avec joie ; mais comme vous êtes mon meilleur ami, j'ai cru que je vous ferais tort si j'en demandais à quelque autre.

MONSIEUR JOURDAIN

C'est trop d'honneur, monsieur, que vous me faites. Je vais quérir votre affaire.

MADAME JOURDAIN, *bas, à M. Jourdain.*

Quoi ? vous allez encore lui donner cela ?

MONSIEUR JOURDAIN, *bas, à Mme Jourdain.*

Que faire ? Voulez-vous que je refuse un homme de cette condition-là, qui a parlé de moi ce matin dans la chambre du Roi ?

MADAME JOURDAIN, *bas, à M. Jourdain.*

Allez, vous êtes une vraie dupe.

SCÈNE 5
Dorante, madame Jourdain, Nicole

DORANTE

Vous me semblez toute mélancolique : qu'avez-vous, madame Jourdain ?

MADAME JOURDAIN

J'ai la tête plus grosse que le poing et si [1] elle n'est pas enflée.

DORANTE

Mademoiselle votre fille, où est-elle, que je ne la vois point ?

MADAME JOURDAIN

Mademoiselle ma fille est bien où elle est.

DORANTE

Comment se porte-t-elle ?

MADAME JOURDAIN

Elle se porte sur ses deux jambes.

—————————

1. Pourtant.

DORANTE

Ne voulez-vous point, un de ces jours, venir voir, avec elle, le ballet et la comédie que l'on fait chez le Roi ?

MADAME JOURDAIN

Oui, vraiment, nous avons fort envie de rire, fort envie de rire nous avons.

DORANTE

Je pense, madame Jourdain, que vous avez eu bien des amants [1] dans votre jeune âge, belle et d'agréable humeur comme vous étiez.

MADAME JOURDAIN

Tredame [2], monsieur, est-ce que madame Jourdain est décrépite, et la tête lui grouille-t-elle [3] déjà ?

DORANTE

Ah ! ma foi ! madame Jourdain, je vous demande pardon. Je ne songeais pas que vous êtes jeune, et je rêve le plus souvent. Je vous prie d'excuser mon impertinence.

SCÈNE 6
Monsieur Jourdain, madame Jourdain, Dorante, Nicole

MONSIEUR JOURDAIN

Voilà deux cents louis bien comptés.

DORANTE

Je vous assure, monsieur Jourdain, que je suis tout à vous, et que je brûle de vous rendre un service à la cour.

MONSIEUR JOURDAIN

Je vous suis trop obligé.

---

1. Soupirants.
2. Par Notre-Dame.
3. Trembler.

DORANTE

Si madame Jourdain veut voir le divertissement royal, je lui ferai donner les meilleures places de la salle.

MADAME JOURDAIN

Madame Jourdain vous baise les mains.

DORANTE, *bas, à M. Jourdain.*

Notre belle marquise, comme je vous ai mandé par mon billet, viendra tantôt ici pour le ballet et le repas, et je l'ai fait consentir enfin au cadeau [1] que vous lui voulez donner.

MONSIEUR JOURDAIN

Tirons-nous un peu plus loin, pour cause.

DORANTE

Il y a huit jours que je ne vous ai vu, et je ne vous ai point mandé de nouvelles du diamant que vous me mîtes entre les mains pour lui en faire présent de votre part ; mais c'est que j'ai eu toutes les peines du monde à vaincre son scrupule, et ce n'est que d'aujourd'hui qu'elle s'est résolue à l'accepter.

MONSIEUR JOURDAIN

Comment l'a-t-elle trouvé ?

DORANTE

Merveilleux ; et je me trompe fort, ou la beauté de ce diamant fera pour vous sur son esprit un effet admirable.

MONSIEUR JOURDAIN

Plût au Ciel !

MADAME JOURDAIN, *à Nicole.*

Quand il est une fois avec lui, il ne peut le quitter.

---

1. Fête accompagnée de repas et de divertissements chantés et dansés.

DORANTE

Je lui ai fait valoir comme il faut la richesse de ce présent et la grandeur de votre amour.

MONSIEUR JOURDAIN

Ce sont, monsieur, des bontés qui m'accablent ; et je suis dans une confusion la plus grande du monde, de voir une personne de votre qualité s'abaisser pour moi à ce que vous faites.

DORANTE

Vous moquez-vous ? est-ce qu'entre amis on s'arrête à ces sortes de scrupules ? et ne feriez-vous pas pour moi la même chose, si l'occasion s'en offrait ?

MONSIEUR JOURDAIN

Ho ! assurément, et de très grand cœur.

MADAME JOURDAIN, *à Nicole*.

Que sa présence me pèse sur les épaules !

DORANTE

Pour moi, je ne regarde rien, quand il faut servir un ami ; et lorsque vous me fîtes confidence de l'ardeur que vous aviez prise pour cette marquise agréable chez qui j'avais commerce [1], vous vîtes que d'abord je m'offris de moi-même à servir votre amour.

MONSIEUR JOURDAIN

Il est vrai, ce sont des bontés qui me confondent.

MADAME JOURDAIN, *à Nicole*.

Est-ce qu'il ne s'en ira point ?

NICOLE

Ils se trouvent bien ensemble.

1. Relation.

DORANTE

Vous avez pris le bon biais pour toucher son cœur : les femmes aiment surtout les dépenses qu'on fait pour elles ; et vos fréquentes sérénades, et vos bouquets continuels, ce superbe feu d'artifice qu'elle trouva sur l'eau, le diamant qu'elle a reçu de votre part, et le cadeau que vous lui préparez, tout cela lui parle bien mieux en faveur de votre amour que toutes les paroles que vous auriez pu lui dire vous-même.

MONSIEUR JOURDAIN

Il n'y a point de dépenses que je ne fisse, si par là je pouvais trouver le chemin de son cœur. Une femme de qualité a pour moi des charmes ravissants, et c'est un honneur que j'achèterais au prix de toute chose.

MADAME JOURDAIN, *à Nicole*.

Que peuvent-ils tant dire ensemble ? Va-t'en un peu tout doucement prêter l'oreille.

DORANTE

Ce sera tantôt que vous jouirez à votre aise du plaisir de sa vue, et vos yeux auront tout le temps de se satisfaire.

MONSIEUR JOURDAIN

Pour être en pleine liberté, j'ai fait en sorte que ma femme ira dîner chez ma sœur, où elle passera toute l'après-dînée.

DORANTE

Vous avez fait prudemment, et votre femme aurait pu nous embarrasser. J'ai donné pour vous l'ordre qu'il faut au cuisinier, et à toutes les choses qui sont nécessaires pour le ballet. Il est de mon invention ; et pourvu que l'exécution puisse répondre à l'idée, je suis sûr qu'il sera trouvé...

MONSIEUR JOURDAIN *s'aperçoit que Nicole écoute, et lui donne un soufflet.*

Ouais, vous êtes bien impertinente. Sortons, s'il vous plaît.

SCÈNE 7
Madame Jourdain, Nicole

NICOLE

Ma foi ! madame, la curiosité m'a coûté quelque chose ;
mais je crois qu'il y a quelque anguille sous roche, et ils
parlent de quelque affaire où ils ne veulent pas que vous
soyez.

MADAME JOURDAIN

Ce n'est pas d'aujourd'hui, Nicole, que j'ai conçu des
soupçons de mon mari. Je suis la plus trompée du monde,
ou il y a quelque amour en campagne, et je travaille à
découvrir ce que ce peut être. Mais songeons à ma fille.
Tu sais l'amour que Cléonte a pour elle. C'est un homme
qui me revient, et je veux aider sa recherche, et lui donner
Lucile, si je puis.

NICOLE

En vérité, madame, je suis la plus ravie du monde de
vous voir dans ces sentiments ; car, si le maître vous
revient, le valet ne me revient pas moins, et je souhaiterais
que notre mariage se pût faire à l'ombre du leur.

MADAME JOURDAIN

Va-t'en lui parler de ma part, et lui dire que tout à
l'heure il me vienne trouver, pour faire ensemble à mon
mari la demande de ma fille.

NICOLE

J'y cours, madame, avec joie, et je ne pouvais recevoir
une commission plus agréable. Je vais, je pense, bien
réjouir les gens.

SCÈNE 8
Cléonte, Covielle, Nicole

NICOLE

Ah ! vous voilà tout à propos. Je suis une ambassadrice de joie, et je viens...

CLÉONTE

Retire-toi, perfide, et ne me viens point amuser avec tes traîtresses paroles.

NICOLE

Est-ce ainsi que vous recevez ?...

CLÉONTE

Retire-toi, te dis-je, et va-t'en dire de ce pas à ton infidèle maîtresse qu'elle n'abusera de sa vie le trop simple Cléonte.

NICOLE

Quel vertigo[1] est-ce donc là ? Mon pauvre Covielle, dis-moi un peu ce que cela veut dire.

COVIELLE

Ton pauvre Covielle, petite scélérate ! Allons vite, ôte-toi de mes yeux, vilaine, et me laisse en repos.

NICOLE

Quoi ? tu me viens aussi...

COVIELLE

Ôte-toi de mes yeux, te dis-je, et ne me parle de ta vie.

NICOLE

Ouais ! Quelle mouche les a piqués tous deux ? Allons de cette belle histoire informer ma maîtresse.

1. Caprice, fantaisie.

SCÈNE 9
Cléonte, Covielle

CLÉONTE

Quoi ? traiter un amant de la sorte, et un amant le plus fidèle et le plus passionné de tous les amants ?

COVIELLE

C'est une chose épouvantable, que ce qu'on nous fait à tous deux.

CLÉONTE

Je fais voir pour une personne toute l'ardeur et toute la tendresse qu'on peut imaginer ; je n'aime rien au monde qu'elle, et je n'ai qu'elle dans l'esprit ; elle fait tous mes soins, tous mes désirs, toute ma joie ; je ne parle que d'elle, je ne pense qu'à elle, je ne fais des songes que d'elle, je ne respire que par elle, mon cœur vit tout en elle : et voilà de tant d'amitié la digne récompense ! Je suis deux jours sans la voir, qui sont pour moi des siècles effroyables : je la rencontre par hasard ; mon cœur, à cette vue, se sent tout transporté, ma joie éclate sur mon visage, je vole avec ravissement vers elle ; et l'infidèle détourne de moi ses regards, et passe brusquement, comme si de sa vie elle ne m'avait vu !

COVIELLE

Je dis les mêmes choses que vous.

CLÉONTE

Peut-on voir rien d'égal, Covielle, à cette perfidie de l'ingrate Lucile ?

COVIELLE

Et à celle, monsieur, de la pendarde de Nicole ?

CLÉONTE

Après tant de sacrifices ardents, de soupirs, et de vœux que j'ai faits à ses charmes !

☞ Voir *Au fil du texte*, p. XVI.

COVIELLE

Après tant d'assidus hommages, de soins et de services que je lui ai rendus dans sa cuisine !

CLÉONTE

Tant de larmes que j'ai versées à ses genoux !

COVIELLE

Tant de seaux d'eau que j'ai tirés au puits pour elle !

CLÉONTE

Tant d'ardeur que j'ai fait paraître à la chérir plus que moi-même !

COVIELLE

Tant de chaleur que j'ai soufferte à tourner la broche à sa place !

CLÉONTE

Elle me fuit avec mépris !

COVIELLE

Elle me tourne le dos avec effronterie !

CLÉONTE

C'est une perfidie digne des plus grands châtiments.

COVIELLE

C'est une trahison à mériter mille soufflets.

CLÉONTE

Ne t'avise point, je te prie, de me parler jamais pour elle.

COVIELLE

Moi, monsieur ! Dieu m'en garde !

CLÉONTE

Ne viens point m'excuser l'action de cette infidèle.

COVIELLE

N'ayez pas peur.

CLÉONTE

Non, vois-tu, tous tes discours pour la défendre ne serviront de rien.

COVIELLE

Qui songe à cela ?

CLÉONTE

Je veux contre elle conserver mon ressentiment, et rompre ensemble tout commerce.

COVIELLE

J'y consens.

CLÉONTE

Ce monsieur le comte qui va chez elle lui donne peut-être dans la vue ; et son esprit, je le vois bien, se laisse éblouir à la qualité. Mais il me faut, pour mon honneur, prévenir l'éclat [1] de son inconstance. Je veux faire autant de pas qu'elle au changement où je la vois courir, et ne lui laisser pas toute la gloire de me quitter.

COVIELLE

C'est fort bien dit, et j'entre pour mon compte dans tous vos sentiments.

CLÉONTE

Donne la main à mon dépit, et soutiens ma résolution contre tous les restes d'amour qui me pourraient parler pour elle. Dis-m'en, je t'en conjure, tout le mal que tu pourras ; fais-moi de sa personne une peinture qui me la rende méprisable ; et marque-moi bien, pour m'en dégoûter, tous les défauts que tu peux voir en elle.

COVIELLE

Elle, monsieur ! voilà une belle mijaurée, une pimpesouée [2] bien bâtie, pour vous donner tant d'amour ! Je

1. Scandale.
2. Coquette et aguicheuse.

ne lui vois rien que de très médiocre, et vous trouverez cent personnes qui seront plus dignes de vous. Première- ment, elle a les yeux petits.

CLÉONTE

Cela est vrai, elle a les yeux petits ; mais elle les a pleins de feux, les plus brillants, les plus perçants du monde, les plus touchants qu'on puisse voir.

COVIELLE

Elle a la bouche grande.

CLÉONTE

Oui ; mais on y voit des grâces qu'on ne voit point aux autres bouches ; et cette bouche, en la voyant, inspire des désirs, est la plus attrayante, la plus amoureuse du monde.

COVIELLE

Pour sa taille, elle n'est pas grande.

CLÉONTE

Non ; mais elle est aisée et bien prise.

COVIELLE

Elle affecte une nonchalance dans son parler, et dans ses actions.

CLÉONTE

Il est vrai ; mais elle a grâce à tout cela, et ses manières sont engageantes, ont je ne sais quel charme à s'insinuer dans les cœurs.

COVIELLE

Pour de l'esprit...

CLÉONTE

Ah ! elle en a, Covielle, du plus fin, du plus délicat.

COVIELLE

Sa conversation...

CLÉONTE

Sa conversation est charmante.

COVIELLE

Elle est toujours sérieuse.

CLÉONTE

Veux-tu de ces enjouements épanouis, de ces joies toujours ouvertes ? et vois-tu rien de plus impertinent que des femmes qui rient à tout propos ?

COVIELLE

Mais enfin elle est capricieuse autant que personne du monde.

CLÉONTE

Oui, elle est capricieuse, j'en demeure d'accord ; mais tout sied bien aux belles, on souffre tout des belles.

COVIELLE

Puisque cela va comme cela, je vois bien que vous avez envie de l'aimer toujours.

CLÉONTE

Moi, j'aimerais mieux mourir ; et je vais la haïr autant que je l'ai aimée.

COVIELLE

Le moyen, si vous la trouvez si parfaite ?

CLÉONTE

C'est en quoi ma vengeance sera plus éclatante, en quoi je veux faire mieux voir la force de mon cœur : à la haïr, à la quitter, toute belle, toute pleine d'attraits, toute aimable que je la trouve. La voici.

SCÈNE 10
Cléonte, Lucile, Covielle, Nicole

NICOLE, *à Lucile.*

Pour moi, j'en ai été toute scandalisée.

☞ Voir *Au fil du texte*, p. XVII.

LUCILE

Ce ne peut être, Nicole, que ce que je te dis. Mais le voilà.

CLÉONTE, *à Covielle.*

Je ne veux pas seulement lui parler.

COVIELLE

Je veux vous imiter.

LUCILE

Qu'est-ce donc, Cléonte ? qu'avez-vous ?

NICOLE

Qu'as-tu donc, Covielle ?

LUCILE

Quel chagrin vous possède ?

NICOLE

Quelle mauvaise humeur te tient ?

LUCILE

Êtes-vous muet, Cléonte ?

NICOLE

As-tu perdu la parole, Covielle ?

CLÉONTE

Que voilà qui est scélérat !

COVIELLE

Que cela est Judas !

LUCILE

Je vois bien que la rencontre de tantôt a troublé votre esprit.

CLÉONTE, *à Covielle.*

Ah ! ah ! on voit ce qu'on a fait.

NICOLE

Notre accueil de ce matin t'a fait prendre la chèvre.

COVIELLE, *à Cléonte*.

On a deviné l'enclouure [1].

LUCILE

N'est-il pas vrai, Cléonte, que c'est là le sujet de votre dépit ?

CLÉONTE

Oui, perfide, ce l'est, puisqu'il faut parler ; et j'ai à vous dire que vous ne triompherez pas comme vous pensez de votre infidélité, que je veux être le premier à rompre avecque vous, et que vous n'aurez pas l'avantage de me chasser. J'aurai de la peine, sans doute, à vaincre l'amour que j'ai pour vous, cela me causera des chagrins, je souffrirai un temps, mais j'en viendrai à bout, et je me percerai plutôt le cœur, que d'avoir la faiblesse de retourner à vous.

COVIELLE, *à Nicole*.

Queussi, queumi [2].

LUCILE

Voilà bien du bruit pour un rien. Je veux vous dire, Cléonte, le sujet qui m'a fait ce matin éviter votre abord.

CLÉONTE *fait semblant de s'en aller et tourne autour du théâtre*.

Non, je ne veux rien écouter.

NICOLE, *à Covielle*.

Je te veux apprendre la cause qui nous a fait passer si vite.

COVIELLE, *voulant aussi s'en aller pour éviter Nicole*.

Je ne veux rien entendre.

LUCILE *suit Cléonte*.

Sachez que ce matin...

1. Blessure, difficulté.
2. Tel lui, tel moi (expression picarde).

CLÉONTE

Non, vous dis-je.

NICOLE *suit Covielle.*

Apprends que...

COVIELLE

Non, traîtresse.

LUCILE

Écoutez.

CLÉONTE

Point d'affaire.

NICOLE

Laissez-moi dire.

COVIELLE

Je suis sourd.

LUCILE

Cléonte !

CLÉONTE

Non.

NICOLE

Covielle !

COVIELLE

Point.

LUCILE

Arrêtez.

CLÉONTE

Chansons !

NICOLE

Entends-moi.

COVIELLE

Bagatelles !

LUCILE

Un moment.

CLÉONTE

Point du tout.

NICOLE

Un peu de patience.

COVIELLE

Tarare [1].

LUCILE

Deux paroles.

CLÉONTE

Non, c'en est fait.

NICOLE

Un mot.

COVIELLE

Plus de commerce.

LUCILE, *s'arrêtant*.

Hé bien ! puisque vous ne voulez pas m'écouter, demeu-
rez dans votre pensée, et faites ce qu'il vous plaira.

NICOLE, *s'arrêtant aussi*.

Puisque tu fais comme cela, prends-le tout comme tu
voudras.

CLÉONTE, *se retournant vers Lucile*.

Sachons donc le sujet d'un si bel accueil.

LUCILE, *s'en allant à son tour*
pour éviter Cléonte.

Il ne me plaît plus de le dire.

COVIELLE, *se retournant vers Nicole*.

Apprends-nous un peu cette histoire.

1. Expression populaire : rien à faire.

NICOLE, *s'en allant à son tour
pour éviter Covielle.*

Je ne veux plus, moi, te l'apprendre.

CLÉONTE

Dites-moi...

LUCILE

Non, je ne veux rien dire.

COVIELLE

Conte-moi...

NICOLE

Non, je ne conte rien.

CLÉONTE

De grâce.

LUCILE

Non, vous dis-je.

COVIELLE

Par charité.

NICOLE

Point d'affaire.

CLÉONTE

Je vous en prie.

LUCILE

Laissez moi.

COVIELLE

Je t'en conjure.

NICOLE

Ôte-toi de là.

CLÉONTE

Lucile !

LUCILE

Non.

COVIELLE

Nicole !

NICOLE

Point.

CLÉONTE

Au nom des dieux !

LUCILE

Je ne veux pas.

COVIELLE

Parle-moi.

NICOLE

Point du tout.

CLÉONTE

Éclaircissez mes doutes.

LUCILE

Non, je n'en ferai rien.

COVIELLE

Guéris-moi l'esprit.

NICOLE

Non, il ne me plaît pas.

CLÉONTE

Hé bien ! puisque vous vous souciez si peu de me tirer de peine, et de vous justifier du traitement indigne que vous avez fait à ma flamme, vous me voyez, ingrate, pour la dernière fois, et je vais loin de vous mourir de douleur et d'amour.

COVIELLE, *à Nicole.*

Et moi, je vais suivre ses pas.

LUCILE, *à Cléonte, qui veut sortir.*

Cléonte !

NICOLE, *à Covielle qui suit son maître.*

Covielle !

CLÉONTE, *s'arrêtant.*

Eh ?

COVIELLE, *s'arrêtant aussi.*

Plaît-il ?

LUCILE

Où allez-vous ?

CLÉONTE

Où je vous ai dit.

COVIELLE

Nous allons mourir.

LUCILE

Vous allez mourir, Cléonte ?

CLÉONTE

Oui, cruelle, puisque vous le voulez.

LUCILE

Moi, je veux que vous mouriez ?

CLÉONTE

Oui, vous le voulez.

LUCILE

Qui vous le dit ?

CLÉONTE, *s'approchant de Lucile.*

N'est-ce pas le vouloir, que ne vouloir pas éclaircir mes soupçons ?

LUCILE

Est-ce ma faute ? et si vous aviez voulu m'écouter, ne vous aurais-je pas dit que l'aventure dont vous vous plaignez a été causée ce matin par la présence d'une vieille tante, qui veut à toute force que la seule approche d'un homme déshonore une fille, qui perpétuellement nous sermonne sur ce chapitre, et nous figure tous les hommes comme des diables qu'il faut fuir ?

NICOLE, *à Covielle.*

Voilà le secret de l'affaire.

CLÉONTE

Ne me trompez-vous point, Lucile ?

COVIELLE, *à Nicole*.

Ne m'en donnes-tu point à garder ?

LUCILE, *à Cléonte*.

Il n'est rien de plus vrai.

NICOLE, *à Covielle*.

C'est la chose comme elle est.

COVIELLE, *à Cléonte*.

Nous rendrons-nous à cela ?

CLÉONTE

Ah ! Lucile, qu'avec un mot de votre bouche vous savez apaiser de choses dans mon cœur ! et que facilement on se laisse persuader aux personnes qu'on aime !

COVIELLE

Qu'on est aisément amadoué par ces diantres d'animaux-là !

SCÈNE 11
Madame Jourdain, Cléonte, Lucile, Covielle, Nicole

MADAME JOURDAIN

Je suis bien aise de vous voir, Cléonte, et vous voilà tout à propos. Mon mari vient ; prenez vite votre temps pour lui demander Lucile en mariage.

CLÉONTE

Ah ! madame, que cette parole m'est douce, et qu'elle flatte mes désirs ! Pouvais-je recevoir un ordre plus charmant, une faveur plus précieuse ?

SCÈNE 12
Monsieur Jourdain, madame Jourdain, Cléonte, Lucile,
Covielle, Nicole

CLÉONTE

Monsieur, je n'ai voulu prendre personne pour vous faire une demande que je médite il y a longtemps. Elle

●◆ Voir *Au fil du texte*, p. XVIII.

me touche assez pour m'en charger moi-même ; et, sans autre détour, je vous dirai que l'honneur d'être votre gendre est une faveur glorieuse que je vous prie de m'accorder.

MONSIEUR JOURDAIN

Avant que de vous rendre réponse, monsieur, je vous prie de me dire si vous êtes gentilhomme.

CLÉONTE

Monsieur, la plupart des gens sur cette question n'hésitent pas beaucoup. On tranche le mot aisément. Ce nom ne fait aucun scrupule à prendre, et l'usage aujourd'hui semble en autoriser le vol. Pour moi, je vous avoue, j'ai les sentiments sur cette matière un peu plus délicats ; je trouve que toute imposture est indigne d'un honnête homme, et qu'il y a de la lâcheté à déguiser ce que le Ciel nous a fait naître, à se parer aux yeux du monde d'un titre dérobé, à se vouloir donner pour ce qu'on n'est pas. Je suis né de parents, sans doute, qui ont tenu des charges honorables. Je me suis acquis dans les armes l'honneur de six ans de services, et je me trouve assez de bien pour tenir dans le monde un rang assez passable. Mais, avec tout cela, je ne veux point me donner un nom où d'autres en ma place croiraient pouvoir prétendre, et je vous dirai franchement que je ne suis point gentilhomme.

MONSIEUR JOURDAIN

Touchez là, monsieur : ma fille n'est pas pour vous.

CLÉONTE

Comment ?

MONSIEUR JOURDAIN

Vous n'êtes point gentilhomme, vous n'aurez pas ma fille.

MADAME JOURDAIN

Que voulez-vous dire avec votre gentilhomme ? est-ce que nous sommes, nous autres, de la côte de saint Louis [1] ?

1. Descendants de saint Louis, d'une vieille noblesse.

MONSIEUR JOURDAIN

Taisez-vous, ma femme : je vous vois venir.

MADAME JOURDAIN

Descendons-nous tous deux que de bonne bourgeoisie ?

MONSIEUR JOURDAIN

Voilà pas le coup de langue ?

MADAME JOURDAIN

Et votre père n'était-il pas marchand aussi bien que le mien ?

MONSIEUR JOURDAIN

Peste soit de la femme ! Elle n'y a jamais manqué. Si votre père a été marchand, tant pis pour lui ; mais pour le mien, ce sont des malavisés qui disent cela. Tout ce que j'ai à vous dire, moi, c'est que je veux avoir un gendre gentilhomme.

MADAME JOURDAIN

Il faut à votre fille un mari qui lui soit propre, et il vaut mieux pour elle un honnête homme riche et bien fait, qu'un gentilhomme gueux et mal bâti.

NICOLE

Cela est vrai. Nous avons le fils du gentilhomme de notre village, qui est le plus grand malitorne [1] et le plus sot dadais que j'aie jamais vu.

MONSIEUR JOURDAIN

Taisez-vous, impertinente. Vous vous fourrez toujours dans la conversation. J'ai du bien assez pour ma fille, je n'ai besoin que d'honneur, et je la veux faire marquise.

MADAME JOURDAIN

Marquise ?

1. Mal tourné.

MONSIEUR JOURDAIN

Oui, marquise.

MADAME JOURDAIN

Hélas ! Dieu m'en garde !

MONSIEUR JOURDAIN

C'est une chose que j'ai résolue.

MADAME JOURDAIN

C'est une chose, moi, où je ne consentirai point. Les alliances avec plus grand que soi sont sujettes toujours à de fâcheux inconvénients. Je ne veux point qu'un gendre puisse à ma fille reprocher ses parents, et qu'elle ait des enfants qui aient honte de m'appeler leur grand-maman. S'il fallait qu'elle me vînt visiter en équipage de grand-dame, et qu'elle manquât par mégarde à saluer quelqu'un du quartier, on ne manquerait pas aussitôt de dire cent sottises. « Voyez-vous, dirait-on, cette madame la marquise qui fait tant la glorieuse, c'est la fille de monsieur Jourdain, qui était trop heureuse, étant petite, de jouer à la madame avec nous. Elle n'a pas toujours été si relevée que la voilà, et ses deux grands-pères vendaient du drap auprès de la porte Saint-Innocent [1]. Ils ont amassé du bien à leurs enfants, qu'ils payent maintenant peut-être bien cher en l'autre monde, et l'on ne devient guère si riches à être honnêtes gens. » Je ne veux point tous ces caquets et je veux un homme, en un mot, qui m'ait obligation de ma fille, et à qui je puisse dire : « Mettez-vous là, mon gendre, et dînez avec moi. »

MONSIEUR JOURDAIN

Voilà bien les sentiments d'un petit esprit, de vouloir demeurer toujours dans la bassesse. Ne me répliquez pas davantage : ma fille sera marquise en dépit de tout le monde ; et si vous me mettez en colère, je la ferai duchesse.

Il sort.

---

1. Porte du cimetière des Saints-Innocents ; quartier marchand. Aujourd'hui les Halles.

MADAME JOURDAIN

Cléonte, ne perdez point courage encore. Suivez-moi, ma fille, et venez dire résolument à votre père que si vous ne l'avez, vous ne voulez épouser personne.

SCÈNE 13
Cléonte, Covielle

COVIELLE

Vous avez fait de belles affaires avec vos beaux sentiments.

CLÉONTE

Que veux-tu ? j'ai un scrupule là-dessus, que l'exemple ne saurait vaincre.

COVIELLE

Vous moquez-vous, de le prendre sérieusement avec un homme comme cela ? Ne voyez-vous pas qu'il est fou ? et vous coûtait-il quelque chose de vous accommoder à ses chimères ?

CLÉONTE

Tu as raison ; mais je ne croyais pas qu'il fallût faire ses preuves de noblesse pour être gendre de monsieur Jourdain.

COVIELLE

Ah, ah, ah !

CLÉONTE

De quoi ris-tu ?

COVIELLE

D'une pensée qui me vient pour jouer notre homme, et vous faire obtenir ce que vous souhaitez.

CLÉONTE

Comment ?

COVIELLE

L'idée est tout à fait plaisante.

CLÉONTE

Quoi donc ?

COVIELLE

Il s'est fait depuis peu une certaine mascarade[1] qui vient le mieux du monde ici, et que je prétends faire entrer dans une bourle[2] que je veux faire à notre ridicule. Tout cela sent un peu sa comédie ; mais avec lui on peut hasarder toute chose, il n'y faut point chercher tant de façons, et il est homme à y jouer son rôle à merveille, à donner aisément dans toutes les fariboles qu'on s'avisera de lui dire. J'ai les acteurs, j'ai les habits tout prêts : laissez-moi faire seulement.

CLÉONTE

Mais apprends-moi...

COVIELLE

Je vais vous instruire de tout. Retirons-nous, le voilà qui revient.

SCÈNE 14
Monsieur Jourdain, laquais

MONSIEUR JOURDAIN

Que diable est-ce là ! ils n'ont rien que les grands seigneurs à me reprocher ; et moi, je ne vois rien de si beau que de hanter[3] les grands seigneurs : il n'y a qu'honneur et que civilité avec eux, et je voudrais qu'il m'eût coûté deux doigts de la main, et être né comte ou marquis.

LAQUAIS

Monsieur, voici monsieur le comte, et une dame qu'il mène par la main.

1. Comédie de masques
2. Un bon tour.
3. Fréquenter.

MONSIEUR JOURDAIN

Hé mon Dieu ! j'ai quelques ordres à donner. Dis-leur que je vais venir ici tout à l'heure.

SCÈNE 15
Dorimène, Dorante, laquais

LAQUAIS

Monsieur dit comme cela qu'il va venir ici tout à l'heure.

DORANTE

Voilà qui est bien.

DORIMÈNE

Je ne sais pas, Dorante, je fais encore ici une étrange démarche, de me laisser amener par vous dans une maison où je ne connais personne.

DORANTE

Quel lieu voulez-vous donc, madame, que mon amour choisisse pour vous régaler, puisque, pour fuir l'éclat, vous ne voulez ni votre maison, ni la mienne ?

DORIMÈNE

Mais vous ne dites pas que je m'engage insensiblement, chaque jour, à recevoir de trop grands témoignages de votre passion ? J'ai beau me défendre des choses, vous fatiguez ma résistance, et vous avez une civile opiniâtreté qui me fait venir doucement à tout ce qu'il vous plaît. Les visites fréquentes ont commencé ; les déclarations sont venues ensuite, qui après elles ont traîné [1] les sérénades et les cadeaux que les présents ont suivis. Je me suis opposée à tout cela, mais vous ne vous rebutez point, et pied à pied vous gagnez mes résolutions [2]. Pour moi, je ne puis plus

1. Entraîné.
2. Vous êtes vainqueur de mes résolutions.

répondre de rien, et je crois qu'à la fin vous me ferez venir au mariage, dont je me suis tant éloignée.

DORANTE

Ma foi ! madame, vous y devriez déjà être. Vous êtes veuve, et ne dépendez que de vous. Je suis maître de moi, et vous aime plus que ma vie. À quoi tient-il que dès aujourd'hui vous ne fassiez tout mon bonheur ?

DORIMÈNE

Mon Dieu ! Dorante, il faut des deux parts bien des qualités pour vivre heureusement ensemble ; et les deux plus raisonnables personnes du monde ont souvent peine à composer une union dont ils soient satisfaits.

DORANTE

Vous vous moquez, madame, de vous y figurer tant de difficultés ; et l'expérience que vous avez faite ne conclut rien pour tous les autres.

DORIMÈNE

Enfin, j'en reviens toujours là : les dépenses que je vous vois faire pour moi m'inquiètent par deux raisons ; l'une, qu'elles m'engagent plus que je ne voudrais ; et l'autre, que je suis sûre, sans vous déplaire, que vous ne les faites point que vous ne vous incommodiez ; et je ne veux point cela.

DORANTE

Ah ! madame, ce sont des bagatelles ; et ce n'est pas par là...

DORIMÈNE

Je sais ce que je dis ; et, entre autres, le diamant que vous m'avez forcée à prendre est d'un prix...

DORANTE

Eh ! madame, de grâce, ne faites point tant valoir une chose que mon amour trouve indigne de vous ; et souffrez... Voici le maître du logis.

SCÈNE 16
Monsieur Jourdain, Dorimène, Dorante, laquais

MONSIEUR JOURDAIN, *après avoir fait deux révérences, se trouvant trop près de Dorimène.*

Un peu plus loin, madame.

DORIMÈNE
Comment ?

MONSIEUR JOURDAIN
Un pas, s'il vous plaît.

DORIMÈNE
Quoi donc ?

MONSIEUR JOURDAIN
Reculez un peu, pour la troisième.

DORANTE
Madame, monsieur Jourdain sait son monde.

MONSIEUR JOURDAIN
Madame, ce m'est une gloire bien grande de me voir assez fortuné pour être si heureux que d'avoir le bonheur que vous avez eu la bonté de m'accorder la grâce de me faire l'honneur de m'honorer de la faveur de votre présence ; et si j'avais aussi le mérite pour mériter un mérite comme le vôtre, et que le Ciel... envieux de mon bien... m'eût accordé... l'avantage de me voir digne... des...

DORANTE
Monsieur Jourdain, en voilà assez : madame n'aime pas les grands compliments, et elle sait que vous êtes homme d'esprit. *(Bas, à Dorimène.)* C'est un bon bourgeois assez ridicule, comme vous voyez, dans toutes ses manières.

DORIMÈNE, *bas, à Dorante.*
Il n'est pas malaisé de s'en apercevoir.

DORANTE

Madame, voilà le meilleur de mes amis.

MONSIEUR JOURDAIN

C'est trop d'honneur que vous me faites.

DORANTE

Galant homme tout à fait.

DORIMÈNE

J'ai beaucoup d'estime pour lui.

MONSIEUR JOURDAIN

Je n'ai rien fait encore, madame, pour mériter cette grâce.

DORANTE, *bas, à M. Jourdain.*

Prenez garde au moins à ne lui point parler du diamant que vous lui avez donné.

MONSIEUR JOURDAIN

Ne pourrais-je pas seulement lui demander comment elle le trouve ?

DORANTE

Comment ? gardez-vous-en bien : cela serait vilain [1] à vous, et pour agir en galant homme, il faut que vous fassiez comme si ce n'était pas vous qui lui eussiez fait ce présent. Monsieur Jourdain, madame, dit qu'il est ravi de vous voir chez lui.

DORIMÈNE

Il m'honore beaucoup.

MONSIEUR JOURDAIN, *bas, à Dorante.*

Que je vous suis obligé, monsieur, de lui parler ainsi pour moi !

1. Paysan.

DORANTE, *bas, à M. Jourdain.*

J'ai eu une peine effroyable à la faire venir ici.

MONSIEUR JOURDAIN, *bas, à Dorante.*

Je ne sais quelles grâces vous en rendre.

DORANTE

Il dit, madame, qu'il vous trouve la plus belle personne du monde.

DORIMÈNE

C'est bien de la grâce qu'il me fait.

MONSIEUR JOURDAIN

Madame, c'est vous qui faites les grâces ; et...

DORANTE

Songeons à manger.

LAQUAIS

Tout est prêt, monsieur.

DORANTE

Allons donc nous mettre à table, et qu'on fasse venir les musiciens.

Six cuisiniers, qui ont préparé le festin, dansent ensemble, et font le troisième intermède ; après quoi ils apportent une table couverte de plusieurs mets.

ACTE IV

SCÈNE 1
Dorante, Dorimène, monsieur Jourdain, deux musiciens, une musicienne, laquais

DORIMÈNE

Comment, Dorante ? voilà un repas tout à fait magnifique !

MONSIEUR JOURDAIN

Vous vous moquez, madame, et je voudrais qu'il fût plus digne de vous être offert.

Tous se mettent à table.

DORANTE

Monsieur Jourdain a raison, madame, de parler de la sorte, et il m'oblige de vous faire si bien les honneurs de chez lui. Je demeure d'accord avec lui que le repas n'est pas digne de vous. Comme c'est moi qui l'ai ordonné et que je n'ai pas sur cette matière les lumières de nos amis, vous n'avez pas ici un repas fort savant, et vous y trouverez des incongruités de bonne chère, et des barbarismes de bon goût. Si Damis s'en était mêlé, tout serait dans les règles ; il y aurait partout de l'élégance et de l'érudition, et il ne manquerait pas de vous exagérer lui-même toutes les pièces du repas qu'il vous donnerait, et de vous faire tomber d'accord de sa haute capacité dans la science des bons morceaux, de vous parler d'un pain de rive [1] à biseau doré, relevé de croûte partout, croquant tendrement sous la dent,

---

1. Pain cuit sur le bord (rive) du four.

d'un vin à sève veloutée, armé d'un vert qui n'est point trop commandant [1], d'un carré de mouton gourmandé de persil ; d'une longe de veau de rivière [2], longue comme cela, blanche, délicate, et qui sous les dents est une vraie pâte d'amande ; de perdrix relevées d'un fumet surprenant ; et pour son opéra [3], d'une soupe à bouillon perlé, soutenue d'un jeune gros dindon cantonné [4] de pigeonneaux, et couronnée d'oignons blancs mariés avec la chicorée. Mais pour moi, je vous avoue mon ignorance ; et comme monsieur Jourdain a fort bien dit, je voudrais que le repas fût plus digne de vous être offert.

DORIMÈNE

Je ne réponds à ce compliment qu'en mangeant comme je fais.

MONSIEUR JOURDAIN

Ah ! que voilà de belles mains !

DORIMÈNE

Les mains sont médiocres, monsieur Jourdain ; mais vous voulez parler du diamant, qui est fort beau.

MONSIEUR JOURDAIN

Moi, madame ! Dieu me garde d'en vouloir parler ; ce ne serait pas agir en galant homme, et le diamant est fort peu de chose.

DORIMÈNE

Vous êtes bien dégoûté.

MONSIEUR JOURDAIN

Vous avez trop de bonté...

DORANTE

Allons, qu'on donne du vin à monsieur Jourdain, et à ces messieurs, qui nous feront la grâce de nous chanter un air à boire.

---

1. Prononcé.
2. Veau élevé le long de la Seine.
3. Chef-d'œuvre.
4. Accompagné.

DORIMÈNE

C'est merveilleusement assaisonner la bonne chère que d'y mêler la musique, et je me vois ici admirablement régalée.

MONSIEUR JOURDAIN

Madame, ce n'est pas...

DORANTE

Monsieur Jourdain, prêtons silence à ces messieurs ; ce qu'ils nous diront vaudra mieux que tout ce que nous pourrions dire.

Les musiciens et la musicienne prennent des verres, chantent deux chansons à boire, et sont soutenus de toute la symphonie.

PREMIÈRE CHANSON À BOIRE

Un petit doigt, Philis, pour commencer le tour[1]
Ah ! qu'un verre en vos mains a d'agréables charmes !
    Vous et le vin, vous vous prêtez des armes,
Et je sens pour tous deux redoubler mon amour :
Entre lui, vous et moi, jurons, jurons, ma belle,
    Une ardeur éternelle.
Qu'en mouillant votre bouche il en reçoit d'attraits,
Et que l'on voit par lui votre bouche embellie !
    Ah ! l'un de l'autre, ils me donnent envie,
Et de vous et de lui je m'enivre à longs traits :
Entre lui, vous et moi, jurons, jurons, ma belle,
    Une ardeur éternelle.

SECONDE CHANSON À BOIRE

Buvons, chers amis, buvons :
Le temps qui fuit nous y convie ;
    Profitons de la vie
    Autant que nous pouvons.

---

1. Tournée.

Quand on a passé l'onde noire,
Adieu le bon vin, nos amours ;
    Dépêchons-nous de boire,
    On ne boit pas toujours.
Laissons raisonner les sots
Sur le vrai bonheur de la vie ;
    Notre philosophie
    Le met parmi les pots.
Les biens, le savoir et la gloire
N'ôtent point les soucis fâcheux,
    Et ce n'est qu'à bien boire
    Que l'on peut être heureux.
Sus, sus, du vin partout, versez, garçons, versez,
Versez, versez toujours, tant qu'on vous dise assez.

DORIMÈNE

Je ne crois pas qu'on puisse mieux chanter, et cela est tout à fait beau.

MONSIEUR JOURDAIN

Je vois encore ici, madame, quelque chose de plus beau.

DORIMÈNE

Ouais ! monsieur Jourdain est galant plus que je ne pensais.

DORANTE

Comment, madame ? pour qui prenez-vous monsieur Jourdain ?

MONSIEUR JOURDAIN

Je voudrais bien qu'elle me prît pour ce que je dirais.

DORIMÈNE

Encore !

DORANTE

Vous ne le connaissez pas.

MONSIEUR JOURDAIN

Elle me connaîtra quand il lui plaira.

DORIMÈNE

Oh ! je le quitte !

DORANTE

Il est homme qui a toujours la riposte en main. Mais vous ne voyez pas que monsieur Jourdain, madame, mange tous les morceaux que vous touchez.

DORIMÈNE

Monsieur Jourdain est un homme qui me ravit.

MONSIEUR JOURDAIN

Si je pouvais ravir votre cœur, je serais...

SCÈNE 2

Madame Jourdain, monsieur Jourdain, Dorimène,
Dorante, musiciens, musiciennes, laquais

MADAME JOURDAIN

Ah, ah ! je trouve ici bonne compagnie, et je vois bien qu'on ne m'y attendait pas. C'est donc pour cette belle affaire-ci, monsieur mon mari, que vous avez eu tant d'empressement à m'envoyer dîner chez ma sœur ? Je viens de voir un théâtre là-bas, et je vois ici un banquet à faire noces. Voilà comme vous dépensez votre bien, et c'est ainsi que vous festinez [1] les dames en mon absence, et que vous leur donnez la musique et la comédie, tandis que vous m'envoyez promener ?

DORANTE

Que voulez-vous dire, madame Jourdain ? et quelles fantaisies sont les vôtres, de vous aller mettre en tête que votre mari dépense son bien, et que c'est lui qui donne ce régale à madame ? Apprenez que c'est moi, je vous prie ; qu'il ne fait seulement que me prêter sa maison, et

1. Offrir un festin.

que vous devriez un peu mieux regarder aux choses que vous dites.

MONSIEUR JOURDAIN

Oui, impertinente, c'est monsieur le comte qui donne tout ceci à madame, qui est une personne de qualité. Il me fait l'honneur de prendre ma maison, et de vouloir que je sois avec lui.

MADAME JOURDAIN

Ce sont des chansons que cela : je sais ce que je sais.

DORANTE

Prenez, madame Jourdain, prenez de meilleures lunettes.

MADAME JOURDAIN

Je n'ai que faire de lunettes, monsieur, et je vois assez clair ; il y a longtemps que je sens les choses, et je ne suis pas une bête. Cela est fort vilain à vous, pour un grand seigneur, de prêter la main comme vous faites aux sottises de mon mari. Et vous, madame, pour une grand-dame, cela n'est ni beau ni honnête à vous, de mettre de la dissension dans un ménage, et de souffrir que mon mari soit amoureux de vous.

DORIMÈNE

Que veut donc dire tout ceci ? Allez, Dorante, vous vous moquez, de m'exposer aux sottes visions de cette extravagante.

DORANTE, *suivant Dorimène qui sort*.

Madame, holà ! madame, où courez-vous ?

MONSIEUR JOURDAIN

Madame, monsieur le comte, faites-lui excuses, et tâchez de la ramener. Ah ! impertinente que vous êtes ! voilà de vos beaux faits ; vous me venez faire des affronts devant tout le monde, et vous chassez de chez moi des personnes de qualité.

MADAME JOURDAIN

Je me moque de leur qualité.

MONSIEUR JOURDAIN

Je ne sais qui me tient, maudite, que je ne vous fende la tête avec les pièces du repas que vous êtes venue troubler. *On ôte la table.*

MADAME JOURDAIN, *sortant.*

Je me moque de cela. Ce sont mes droits que je défends, et j'aurai pour moi toutes les femmes.

MONSIEUR JOURDAIN

Vous faites bien d'éviter ma colère. *(Seul.)* Elle est arrivée là bien malheureusement. J'étais en humeur de dire de jolies choses, et jamais je ne m'étais senti tant d'esprit. Qu'est-ce que c'est que cela ?

SCÈNE 3
Covielle, *déguisé*, monsieur Jourdain, laquais

COVIELLE

Monsieur, je ne sais pas si j'ai l'honneur d'être connu de vous.

MONSIEUR JOURDAIN

Non, monsieur.

COVIELLE

Je vous ai vu que vous n'étiez pas plus grand que cela.

MONSIEUR JOURDAIN

Moi !

COVIELLE

Oui, vous étiez le plus bel enfant du monde, et toutes les dames vous prenaient dans leurs bras pour vous baiser.

MONSIEUR JOURDAIN

Pour me baiser !

COVIELLE

Oui. J'étais grand ami de feu monsieur votre père.

MONSIEUR JOURDAIN

De feu monsieur mon père !

COVIELLE

Oui. C'était un fort honnête gentilhomme.

MONSIEUR JOURDAIN

Comment dites-vous ?

COVIELLE

Je dis que c'était un fort honnête gentilhomme.

MONSIEUR JOURDAIN

Mon père !

COVIELLE

Oui.

MONSIEUR JOURDAIN

Vous l'avez fort connu ?

COVIELLE

Assurément.

MONSIEUR JOURDAIN

Et vous l'avez connu pour gentilhomme ?

COVIELLE

Sans doute.

MONSIEUR JOURDAIN

Je ne sais donc pas comment le monde est fait.

COVIELLE

Comment ?

MONSIEUR JOURDAIN

Il y a de sottes gens qui me veulent dire qu'il a été marchand.

COVIELLE

Lui, marchand ! C'est pure médisance, il ne l'a jamais été. Tout ce qu'il faisait, c'est qu'il était fort obligeant, fort officieux, et comme il se connaissait fort bien en étoffes, il en allait choisir de tous les côtés, les faisait apporter chez lui et en donnait à ses amis pour de l'argent.

MONSIEUR JOURDAIN

Je suis ravi de vous connaître, afin que vous rendiez ce témoignage-là, que mon père était gentilhomme.

COVIELLE

Je le soutiendrai devant tout le monde.

MONSIEUR JOURDAIN

Vous m'obligerez. Quel sujet vous amène ?

COVIELLE

Depuis avoir connu feu monsieur votre père, honnête gentilhomme, comme je vous ai dit, j'ai voyagé par tout le monde.

MONSIEUR JOURDAIN

Par tout le monde !

COVIELLE

Oui.

MONSIEUR JOURDAIN

Je pense qu'il y a bien loin en ce pays-là.

COVIELLE

Assurément. Je ne suis revenu de tous mes longs voyages que depuis quatre jours ; et par l'intérêt que je prends à tout ce qui vous touche, je viens vous annoncer la meilleure nouvelle du monde.

MONSIEUR JOURDAIN

Quelle ?

COVIELLE

Vous savez que le fils du Grand Turc est ici ?

MONSIEUR JOURDAIN

Moi ? Non.

COVIELLE

Comment ? il a un train tout à fait magnifique ; tout le monde le va voir, et il a été reçu en ce pays comme un seigneur d'importance.

MONSIEUR JOURDAIN

Par ma foi ! je ne savais pas cela.

COVIELLE

Ce qu'il y a d'avantageux pour vous, c'est qu'il est amoureux de votre fille.

MONSIEUR JOURDAIN

Le fils du Grand Turc ?

COVIELLE

Oui ; et il veut être votre gendre.

MONSIEUR JOURDAIN

Mon gendre, le fils du Grand Turc !

COVIELLE

Le fils du Grand Turc votre gendre. Comme je le fus voir et que j'entends parfaitement sa langue, il s'entretint avec moi ; et, après quelques autres discours, il me dit : *Acciam croc soler ouch alla moustaph gidelum amanabem varahini oussere carbulath*, c'est-à-dire : « N'as-tu point vu une jeune belle personne, qui est la fille de monsieur Jourdain, gentilhomme parisien ? »

MONSIEUR JOURDAIN

Le fils du Grand Turc dit cela de moi ?

COVIELLE

Oui. Comme je lui eus répondu que je vous connaissais particulièrement, et que j'avais vu votre fille : « Ah ! me dit-il, *marababa sahem* » ; c'est-à-dire : « Ah ! que je suis amoureux d'elle ! »

MONSIEUR JOURDAIN

Marababa sahem veut dire : « Ah ! que je suis amoureux d'elle » ?

COVIELLE

Oui.

MONSIEUR JOURDAIN

Par ma foi ! vous faites bien de me le dire, car pour moi je n'aurais jamais cru que *marababa sahem* eût voulu dire : « Ah ! que je suis amoureux d'elle ! » Voilà une langue admirable que ce turc !

COVIELLE

Plus admirable qu'on ne peut croire. Savez-vous bien ce que veut dire *cacaracamouchen* ?

MONSIEUR JOURDAIN

Cacaracamouchen ? Non.

COVIELLE

C'est-à-dire : « Ma chère âme. »

MONSIEUR JOURDAIN

Cacaracamouchen veut dire : « Ma chère âme » ?

COVIELLE

Oui.

MONSIEUR JOURDAIN

Voilà qui est merveilleux ! *Cacaracamouchen*, « Ma chère âme ». Dirait-on jamais cela ? Voilà qui me confond.

COVIELLE

Enfin, pour achever mon ambassade, il vient vous demander votre fille en mariage ; et pour avoir un beau-père qui soit digne de lui, il veut vous faire *Mamamouchi*[1], qui est une certaine grande dignité de son pays.

MONSIEUR JOURDAIN

Mamamouchi ?

COVIELLE

Oui, *Mamamouchi* ; c'est-à-dire, en notre langue, paladin[2]. Paladin, ce sont de ces anciens... Paladin enfin. Il n'y a rien de plus noble que cela dans le monde, et vous irez de pair avec les plus grands seigneurs de la terre.

---

1. Mot sans doute créé par Molière. Littré lui donne un sens à partir de plusieurs mots arabes : « propre-à-rien ».
2. Seigneur de la suite de Charlemagne.

MONSIEUR JOURDAIN

Le fils du Grand Turc m'honore beaucoup, et je vous prie de me mener chez lui pour lui en faire mes remerciements.

COVIELLE

Comment ? le voilà qui va venir ici.

MONSIEUR JOURDAIN

Il va venir ici ?

COVIELLE

Oui ; et il amène toutes les choses pour la cérémonie de votre dignité.

MONSIEUR JOURDAIN

Voilà qui est bien prompt.

COVIELLE

Son amour ne peut souffrir aucun retardement.

MONSIEUR JOURDAIN

Tout ce qui m'embarrasse ici, c'est que ma fille est une opiniâtre, qui s'est allé mettre dans la tête un certain Cléonte, et elle jure de n'épouser personne que celui-là.

COVIELLE

Elle changera de sentiment quand elle verra le fils du Grand Turc ; et puis il se rencontre ici une aventure merveilleuse, c'est que le fils du Grand Turc ressemble à ce Cléonte, à peu de chose près. Je viens de le voir, on me l'a montré ; et l'amour qu'elle a pour l'un pourra passer aisément à l'autre, et... Je l'entends venir : le voilà.

SCÈNE 4
Cléonte, *en Turc, avec trois pages portant sa veste*,
monsieur Jourdain, Covielle, *déguisé*

CLÉONTE

Ambousahim oqui boraf, Iordina salamalequi [1].

COVIELLE

C'est-à-dire : « Monsieur Jourdain, votre cœur soit
toute l'année comme un rosier fleuri. » Ce sont façons de
parler obligeantes de ces pays-là.

MONSIEUR JOURDAIN

Je suis très humble serviteur de Son Altesse Turque.

COVIELLE

Carigar camboto oustin moraf.

CLÉONTE

Oustin yoc catamalequi basum base alla moram.

COVIELLE

Il dit : « Que le Ciel vous donne la force des lions et
la prudence des serpents ! »

MONSIEUR JOURDAIN

Son Altesse Turque m'honore trop, et je lui souhaite
toutes sortes de prospérités.

COVIELLE

Ossa binamen sadoc babally oracaf ouram.

CLÉONTE

Bel-men.

---

1. Déformation de *Salam aleik* (« paix à toi ») : formule de salut des
musulmans.

COVIELLE

Il dit que vous alliez vite avec lui vous préparer pour la cérémonie, afin de voir ensuite votre fille, et de conclure le mariage.

MONSIEUR JOURDAIN

Tant de choses en deux mots ?

COVIELLE

Oui, la langue turque est comme cela, elle dit beaucoup en peu de paroles. Allez vite où il souhaite.

SCÈNE 5
Dorante, Covielle

COVIELLE

Ha, ha, ha ! Ma foi ! cela est tout à fait drôle. Quelle dupe ! Quand il aurait appris son rôle par cœur, il ne pourrait pas le mieux jouer. Ah, ah. Je vous prie, monsieur, de nous vouloir aider céans, dans une affaire qui s'y passe.

DORANTE

Ah, ah ! Covielle, qui t'aurait reconnu ? Comme te voilà ajusté !

COVIELLE

Vous voyez. Ah, ah !

DORANTE

De quoi ris-tu ?

COVIELLE

D'une chose, monsieur, qui le mérite bien.

DORANTE

Comment ?

COVIELLE

Je vous le donnerais en bien des fois, monsieur, à deviner le stratagème dont nous nous servons auprès de

•◆ Voir *Au fil du texte*, p. XIX.

monsieur Jourdain, pour porter son esprit à donner sa fille à mon maître.

DORANTE

Je ne devine point le stratagème ; mais je devine qu'il ne manquera pas de faire son effet, puisque tu l'entreprends.

·   COVIELLE

Je sais, monsieur, que la bête vous est connue.

DORANTE

Apprends-moi ce que c'est.

COVIELLE

Prenez la peine de vous tirer un peu plus loin, pour faire place à ce que j'aperçois venir. Vous pourrez voir une partie de l'histoire, tandis que je vous conterai le reste.

La cérémonie turque pour ennoblir le Bourgeois se fait en danse et en musique, et compose le quatrième intermède.

Le Mufti [1], quatre Dervis [2], six Turcs dansant, six Turcs musiciens, et autres joueurs d'instruments à la turque, sont les acteurs de cette cérémonie.

Le Mufti invoque Mahomet avec les douze Turcs et les quatre Dervis ; après on lui amène le Bourgeois, vêtu à la turque, sans turban et sans sabre, auquel il chante ces paroles :

LE MUFTI

Se ti sabir,	*Mi star Mufti,*
Ti respondir ;	*Ti qui star ti ?*
Se non sabir,	*Non intendir :*
Tazir, tazir.	*Tazir, tazir* [3].

1. Dignitaire religieux, interprète du Coran.
2. Religieux musulman.
3. Si toi savoir, / Toi, répondre ; / Si non savoir, / Te taire, te taire. / Moi être Mufti, / Toi, qui être, toi ? / (Toi) pas entendre [comprendre] : / Te taire, te taire.

Le Mufti demande, en même langue, aux Turcs assistants de quelle religion est le Bourgeois, et ils l'assurent qu'il est mahométan. Le Mufti invoque Mahomet en langue franque, et chante les paroles qui suivent :

LE MUFTI

Mahametta per Giourdina,
Mi pregar sera e mattina :
Voler far un Paladina
Dé Giourdina, dé Giourdina.
Dar turbanta, é dar scarcina,
Con galera é brigantina,
Per deffender Palestina.
Mahametta[1], etc.

Le Mufti demande aux Turcs si le Bourgeois sera ferme dans la religion mahométane, et leur chante ces paroles :

LE MUFTI

Star bon Turca Giourdina[2] *?*

LES TURCS

Hi valla[2].

LE MUFTI *danse et chante ces mots :*
Hu la ba ba la chou ba la ba ba la da.

Les Turcs répondent les mêmes vers.
Le Mufti propose de donner le turban au Bourgeois, et chante les paroles qui suivent :

LE MUFTI

Ti non star furba[2] *?*

---

1. Mahomet, pour Jourdain, / Moi prier soir et matin : / Vouloir faire un Paladin / De Jourdain, de Jourdain. / Donner turban, et donner cimeterre, / Avec galère et brigantine, / Pour défendre Palestine. / Mahomet, etc.
2. Être bon Turc, Jourdain ? / Je l'affirme par Dieu. / Toi, pas être fourbe ?

LES TURCS

No, no, no [1].

LE MUFTI

Non star furfanta [1] ?

LES TURCS

No, no, no [1].

LE MUFTI

Donar turbanta, donar turbanta [1].

Les Turcs répètent tout ce qu'a dit le Mufti pour donner le turban au Bourgeois. Le Mufti et les Dervis se coiffent avec des turbans de cérémonies ; et l'on présente au Mufti l'Alcoran, qui fait une seconde invocation avec tout le reste des Turcs assistants ; après son invocation, il donne au Bourgeois l'épée, et chante ces paroles :

LE MUFTI

Ti star nobilé, é non star fabbola [1].
Plgllur schiabbola [1]

Les Turcs répètent les mêmes vers, mettant tous le sabre à la main, et six d'entre eux dansent autour du Bourgeois, auquel ils feignent de donner plusieurs coups de sabre.
Le Mufti commande aux Turcs de bâtonner le Bourgeois, et chante les paroles qui suivent :

LE MUFTI

Dara, dara [1],
Bastonnara, bastonnara [1].

Les Turcs répètent les mêmes vers, et lui donnent plusieurs coups de bâton en cadence.

---

1. Non, non, non. / Pas être fripon ? / Non, non, non. / Donner turban, donner turban. / Toi être noble, et (cela) pas être fable. / Prendre sabre. / Donner, donner..., / Bâtonner, bâtonner.

Le Mufti, après l'avoir fait bâtonner, lui dit en chantant :

LE MUFTI

Non tenar honta :
Questa star ultima affronta[1].

Les Turcs répètent les mêmes vers.
Le Mufti recommence une invocation, et se retire après la cérémonie avec tous les Turcs, en dansant et chantant avec plusieurs instruments à la turquesque.

---

1. Ne pas avoir honte : / Celui-ci être (le) dernier affront.

ACTE V

SCÈNE 1
Madame Jourdain, monsieur Jourdain

MADAME JOURDAIN

Ah mon Dieu ! miséricorde ! Qu'est-ce que c'est donc que cela ? Quelle figure ! Est-ce un momon[1] que vous allez porter ; et est-il temps d'aller en masque ? Parlez donc, qu'est-ce que c'est que ceci ? Qui vous a fagoté comme cela ?

MONSIEUR JOURDAIN

Voyez l'impertinente, de parler de la sorte à un *Mamamouchi* !

MADAME JOURDAIN

Comment donc ?

MONSIEUR JOURDAIN

Oui, il me faut porter du respect maintenant, et l'on vient de me faire *Mamamouchi*.

MADAME JOURDAIN

Que voulez-vous dire avec votre *Mamamouchi* ?

MONSIEUR JOURDAIN

Mamamouchi, vous dis-je. Je suis *Mamamouchi*.

MADAME JOURDAIN

Quelle bête est-ce là ?

---

1. Défi au jeu de dés, porté par galanterie aux dames, par des masques en temps de carnaval. Ici, mascarade.

MONSIEUR JOURDAIN

Mamamouchi, c'est-à-dire, en notre langue, paladin.

MADAME JOURDAIN

Baladin ! Êtes-vous en âge de danser des ballets ?

MONSIEUR JOURDAIN

Quelle ignorante ! Je dis paladin : c'est une dignité dont on vient de me faire la cérémonie.

MADAME JOURDAIN

Quelle cérémonie donc ?

MONSIEUR JOURDAIN

Mahametta per Iordina.

MADAME JOURDAIN

Qu'est-ce que cela veut dire ?

MONSIEUR JOURDAIN

Iordina, c'est-à-dire Jourdain.

MADAME JOURDAIN

Hé bien ! quoi, Jourdain ?

MONSIEUR JOURDAIN

Voler far un Paladina de Iordina.

MADAME JOURDAIN

Comment ?

MONSIEUR JOURDAIN

Dar turbanta con galera.

MADAME JOURDAIN

Qu'est-ce à dire cela ?

MONSIEUR JOURDAIN

Per deffender Palestina.

MADAME JOURDAIN

Que voulez-vous donc dire ?

MONSIEUR JOURDAIN

Dara dara bastonara.

MADAME JOURDAIN

Qu'est-ce donc que ce jargon-là ?

MONSIEUR JOURDAIN

No tener honta : questa star l'ultima affronta.

MADAME JOURDAIN

Qu'est-ce que c'est donc que tout cela ?

MONSIEUR JOURDAIN *danse et chante.*

Hou la ba, ba la chou, ba la ba, ba la da.

MADAME JOURDAIN

Hélas, mon Dieu ! mon mari est devenu fou.

MONSIEUR JOURDAIN, *sortant.*

Paix ! insolente, portez respect à monsieur le *Mama-mouchi.*

MADAME JOURDAIN

Où est-ce qu'il a donc perdu l'esprit ? Courons l'empêcher de sortir. (*Apercevant Dorimène et Dorante.*) Ah, ah, voici justement le reste de notre écu. Je ne vois que chagrin de tous les côtés.

Elle sort.

SCÈNE 2
Dorante, Dorimène

DORANTE

Oui, madame, vous verrez la plus plaisante chose qu'on puisse voir ; et je ne crois pas que dans tout le monde il soit possible de trouver encore un homme aussi fou que celui-là. Et puis, madame, il faut tâcher de servir l'amour de Cléonte, et d'appuyer toute sa mascarade : c'est un fort galant homme, et qui mérite que l'on s'intéresse pour lui.

DORIMÈNE

J'en fais beaucoup de cas, et il est digne d'une bonne fortune.

DORANTE

Outre cela, nous avons ici, madame, un ballet qui nous revient, que nous ne devons pas laisser perdre, et il faut bien voir si mon idée pourra réussir.

DORIMÈNE

J'ai vu là des apprêts magnifiques, et ce sont des choses, Dorante, que je ne puis plus souffrir. Oui, je veux enfin vous empêcher vos profusions, et, pour rompre le cours à toutes les dépenses que je vous vois faire pour moi, j'ai résolu de me marier promptement avec vous : c'en est le vrai secret, et toutes ces choses finissent avec le mariage.

DORANTE

Ah ! madame, est-il possible que vous ayez pu prendre pour moi une si douce résolution ?

DORIMÈNE

Ce n'est que pour vous empêcher de vous ruiner ; et, sans cela, je vois bien qu'avant qu'il fût peu, vous n'auriez pas un sou.

DORANTE

Que j'ai d'obligation, madame, aux soins que vous avez de conserver mon bien ! Il est entièrement à vous, aussi bien que mon cœur, et vous en userez de la façon qu'il vous plaira.

DORIMÈNE

J'userai bien de tous les deux. Mais voici votre homme ; la figure en est admirable.

SCÈNE 3
Monsieur Jourdain, Dorante, Dorimène

DORANTE

Monsieur, nous venons rendre hommage, Madame et moi, à votre nouvelle dignité, et nous réjouir avec vous du mariage que vous faites de votre fille avec le fils du Grand Turc.

MONSIEUR JOURDAIN, *après avoir fait*
les révérences à la turque.

Monsieur, je vous souhaite la force des serpents et la prudence des lions.

DORIMÈNE

J'ai été bien aise d'être des premières, monsieur, à venir vous féliciter du haut degré de gloire où vous êtes monté.

MONSIEUR JOURDAIN

Madame, je vous souhaite toute l'année votre rosier fleuri ; je vous suis infiniment obligé de prendre part aux honneurs qui m'arrivent, et j'ai beaucoup de joie de vous voir revenue ici pour vous faire les très humbles excuses de l'extravagance de ma femme.

DORIMÈNE

Cela n'est rien, j'excuse en elle un pareil mouvement ; votre cœur lui doit être précieux, et il n'est pas étrange que la possession d'un homme comme vous puisse inspirer quelques alarmes.

MONSIEUR JOURDAIN

La possession de mon cœur est une chose qui vous est toute acquise.

DORANTE

Vous voyez, madame, que monsieur Jourdain n'est pas de ces gens que les prospérités aveuglent, et qu'il sait, dans sa gloire, connaître encore ses amis.

DORIMÈNE

C'est la marque d'une âme tout à fait généreuse.

DORANTE

Où est donc Son Altesse Turque ? Nous voudrions bien, comme vos amis, lui rendre nos devoirs.

MONSIEUR JOURDAIN

Le voilà qui vient, et j'ai envoyé quérir ma fille pour lui donner la main.

SCÈNE 4

Cléonte, *habillé en Turc*, Covielle, *déguisé*, monsieur Jourdain, Dorimène, Dorante

DORANTE, *à Cléonte*.

Monsieur, nous venons faire la révérence à Votre Altesse, comme amis de monsieur votre beau-père, et l'assurer avec respect de nos très humbles services.

MONSIEUR JOURDAIN

Où est le truchement [1] pour lui dire qui vous êtes, et lui faire entendre ce que vous dites ? Vous verrez qu'il vous répondra, et il parle turc à merveille. Holà ! où diantre est-il allé ? (*À Cléonte.*) *Strouf, strif, strof, straf*. Monsieur est un *grande Segnore, grande Segnore, grande Segnore* ; et madame une *granda Dama, granda Dama. Ahi*, lui, monsieur, lui *Mamamouchi* français, et madame *Mamamouchie* française : je ne puis pas parler plus clairement. Bon, voici l'interprète. Où allez-vous donc ? nous ne saurions rien dire sans vous. Dites-lui un peu que monsieur et madame sont des personnes de grande qualité, qui lui viennent faire la révérence, comme mes amis, et l'assurer de leurs services. Vous allez voir comme il va répondre.

COVIELLE

Alabala crociam acci boram alabamen.

CLÉONTE

Catalequi tubal ourin soter amalouchan.

---

1. Interprète.

MONSIEUR JOURDAIN

Voyez-vous.

COVIELLE

Il dit que la pluie des prospérités arrose en tout temps
le jardin de votre famille !

MONSIEUR JOURDAIN

Je vous l'avais bien dit, qu'il parle turc.

DORANTE

Cela est admirable.

SCÈNE 5
Lucile, monsieur Jourdain, Dorante, Dorimène,
Cléonte, Covielle

MONSIEUR JOURDAIN

Venez, ma fille, approchez vous et venez donner votre
main à monsieur, qui vous fait l'honneur de vous demander en mariage.

LUCILE

Comment, mon père, comme vous voilà fait ! est-ce une
comédie que vous jouez ?

MONSIEUR JOURDAIN

Non, non, ce n'est pas une comédie, c'est une affaire
sérieuse, et la plus pleine d'honneur pour vous qui se peut
souhaiter. Voilà le mari que je vous donne.

LUCILE

À moi, mon père !

MONSIEUR JOURDAIN

Oui, à vous : allons, touchez-lui dans la main, et rendez
grâce au Ciel de votre bonheur.

LUCILE

Je ne veux point me marier.

MONSIEUR JOURDAIN

Je le veux, moi qui suis votre père.

LUCILE

Je n'en ferai rien.

MONSIEUR JOURDAIN

Ah ! que de bruit ! Allons, vous dis-je. Ça votre main.

LUCILE

Non, mon père, je vous l'ai dit, il n'est point de pouvoir qui me puisse obliger à prendre un autre mari que Cléonte ; je me résoudrai plutôt à toutes les extrémités, que de... (*Reconnaissant Cléonte.*) Il est vrai que vous êtes mon père, je vous dois entière obéissance, et c'est à vous à disposer de moi selon vos volontés.

MONSIEUR JOURDAIN

Ah ! je suis ravi de vous voir si promptement revenue dans votre devoir, et voilà qui me plaît, d'avoir une fille obéissante.

SCÈNE 6

Madame Jourdain, monsieur Jourdain, Cléonte, Lucile, Dorante, Dorimène, Covielle

MADAME JOURDAIN

Comment donc ? qu'est-ce que c'est que ceci ? On dit que vous voulez donner votre fille en mariage à un carême-prenant [1] ?

MONSIEUR JOURDAIN

Voulez-vous vous taire, impertinente ? Vous venez toujours mêler vos extravagances à toutes choses, et il n'y a pas moyen de vous apprendre à être raisonnable.

MADAME JOURDAIN

C'est vous qu'il n'y a pas moyen de rendre sage, et vous allez de folie en folie. Quel est votre dessein, et que voulez-vous faire avec cet assemblage ?

1. Homme travesti comme pour le carnaval.

MONSIEUR JOURDAIN

Je veux marier notre fille avec le fils du Grand Turc.

MADAME JOURDAIN

Avec le fils du Grand Turc !

MONSIEUR JOURDAIN

Oui, faites-lui faire vos compliments par le truchement que voilà.

MADAME JOURDAIN

Je n'ai que faire du truchement, et je lui dirai bien moi-même à son nez qu'il n'aura point ma fille.

MONSIEUR JOURDAIN

Voulez-vous vous taire, encore une fois ?

DORANTE

Comment, madame Jourdain, vous vous opposez à un bonheur comme celui-là ? Vous refusez Son Altesse Turque pour gendre ?

MADAME JOURDAIN

Mon Dieu, monsieur, mêlez vous de vos affaires.

DORIMÈNE

C'est une grande gloire, qui n'est pas à rejeter.

MADAME JOURDAIN

Madame, je vous prie aussi de ne vous point embarrasser de ce qui ne vous touche pas.

DORANTE

C'est l'amitié que nous avons pour vous qui nous fait intéresser dans vos avantages.

MADAME JOURDAIN

Je me passerai bien de votre amitié.

DORANTE

Voilà votre fille qui consent aux volontés de son père.

MADAME JOURDAIN

Ma fille consent à épouser un Turc ?

DORANTE

Sans doute.

MADAME JOURDAIN

Elle peut oublier Cléonte ?

DORANTE

Que ne fait-on pas pour être grand-dame ?

MADAME JOURDAIN

Je l'étranglerais de mes mains, si elle avait fait un coup comme celui-là.

MONSIEUR JOURDAIN

Voilà bien du caquet. Je vous dis que ce mariage-là se fera.

MADAME JOURDAIN

Je vous dis, moi, qu'il ne se fera point.

MONSIEUR JOURDAIN

Ah ! que de bruit !

LUCILE

Ma mère.

MADAME JOURDAIN

Allez, vous êtes une coquine.

MONSIEUR JOURDAIN

Quoi ? vous la querellez de ce qu'elle m'obéit ?

MADAME JOURDAIN

Oui : elle est à moi aussi bien qu'à vous.

COVIELLE

Madame.

MADAME JOURDAIN

Que me voulez-vous conter, vous ?

COVIELLE

Un mot.

MADAME JOURDAIN

Je n'ai que faire de votre mot.

COVIELLE, *à M. Jourdain*.

Monsieur, si elle veut écouter une parole en particulier, je vous promets de la faire consentir à ce que vous voulez.

MADAME JOURDAIN

Je n'y consentirai point.

COVIELLE

Écoutez-moi seulement.

MADAME JOURDAIN

Non.

MONSIEUR JOURDAIN

Écoutez-le.

MADAME JOURDAIN

Non, je ne veux pas écouter.

MONSIEUR JOURDAIN

Il vous dira...

MADAME JOURDAIN

Je ne veux point qu'il me dise rien.

MONSIEUR JOURDAIN

Voilà une grande obstination de femme ! Cela vous fera-t-il mal de l'entendre ?

COVIELLE

Ne faites que m'écouter ; vous ferez après ce qu'il vous plaira.

MADAME JOURDAIN

Hé bien ! quoi ?

COVIELLE, *à part*.

Il y a une heure, madame, que nous vous faisons signe. Ne voyez-vous pas bien que tout ceci n'est fait que pour nous ajuster aux visions de votre mari, que nous l'abusons sous ce déguisement, et que c'est Cléonte lui-même qui est le fils du Grand Turc ?

MADAME JOURDAIN

Ah ! ah !

COVIELLE

Et moi Covielle qui suis le truchement ?

MADAME JOURDAIN

Ah ! comme cela, je me rends.

COVIELLE

Ne faites pas semblant de rien.

MADAME JOURDAIN, *haut*.

Oui, voilà qui est fait, je consens au mariage.

MONSIEUR JOURDAIN

Ah ! voilà tout le monde raisonnable. Vous ne vouliez pas l'écouter. Je savais bien qu'il vous expliquerait ce que c'est que le fils du Grand Turc.

MADAME JOURDAIN

Il me l'a expliqué comme il faut, et j'en suis satisfaite. Envoyons quérir un notaire.

DORANTE

C'est fort bien dit. Et afin, madame Jourdain, que vous puissiez avoir l'esprit tout à fait content, et que vous perdiez aujourd'hui toute la jalousie que vous pourriez avoir conçue de monsieur votre mari, c'est que nous nous servirons du même notaire pour nous marier, Madame et moi.

MADAME JOURDAIN

Je consens aussi à cela.

MONSIEUR JOURDAIN, *bas, à Dorante*.

C'est pour lui faire accroire ?

DORANTE, *bas, à M. Jourdain*.

Il faut bien l'amuser avec cette feinte.

MONSIEUR JOURDAIN

Bon, bon. (*Haut.*) Qu'on aille vite quérir le notaire.

DORANTE

Tandis qu'il viendra, et qu'il dressera les contrats, voyons notre ballet, et donnons-en le divertissement à Son Altesse Turque.

MONSIEUR JOURDAIN

C'est fort bien avisé : allons prendre nos places.

MADAME JOURDAIN

Et Nicole ?

MONSIEUR JOURDAIN

Je la donne au truchement ; et ma femme à qui la voudra.

COVIELLE

Monsieur, je vous remercie. (*À part.*) Si l'on en peut voir un plus fou, je l'irai dire à Rome.

La comédie finit par un petit ballet qui avait été préparé.

BALLET DES NATIONS

PREMIÈRE ENTRÉE

Un homme vient donner les livres du ballet, qui d'abord est fatigué par une multitude de gens de provinces différentes, qui crient en musique pour en avoir, et par trois importuns, qu'il trouve toujours sur ses pas.

DIALOGUE DES GENS
qui en musique demandent des livres

TOUS

À moi, Monsieur, à moi de grâce, à moi, Monsieur :
Un livre, s'il vous plaît, à votre serviteur.

HOMME DU BEL AIR

Monsieur, distinguez-nous parmi les gens qui crient.
Quelques livres ici, les Dames vous en prient.

AUTRE HOMME DU BEL AIR

Holà ! Monsieur, Monsieur, ayez la charité
D'en jeter de notre côté.

FEMME DU BEL AIR

Mon Dieu ! qu'aux personnes bien faites
On sait peu rendre honneur céans.

AUTRE FEMME DU BEL AIR

Ils n'ont des livres et des bancs
Que pour Mesdames les grisettes[1].

---

1. Personne, de condition modeste, vêtue de grisette qui est une étoffe grise assez commune.

GASCON

Aho ! l'homme aux libres, qu'on m'en vaille !
J'ai déjà lé poumon usé.
Bous boyez qué chacun mé raille ;
Et jé suis scandalisé
De boir és mains dé la canaille
Cé qui m'est par bous refusé[1].

AUTRE GASCON

Eh cadédis ! Monseu, boyez qui l'on pût estre :
Un libret, je bous prie, au varon d'Asbarat.
Jé pense, mordy, qué lé fat
N'u pas l'honneur dé mé connoistre[2].

LE SUISSE

Mon'-sieur le donneur de papieir,
Quo voul dir sty façon de fifre ?
Moy l'écorchair tout mon gosieir
  À crier,
Sans que je pouvre afoir ein lifre :
Purdy, mon foy ! Mon' sieur, je pense fous l'estre ifre[3].

VIEUX BOURGEOIS BABILLARD

De tout ceci, franc et net,
Je suis mal satisfait ;
Et cela sans doute est laid,
Que notre fille,
Si bien faite et si gentille,

1. Hé ! l'homme aux livres, qu'on m'en baille ! / J'ai déjà le poumon usé. / Vous voyez que chacun me raille ; / Et je suis scandalisé / De voir dans les mains de la canaille / Ce qui m'est par vous refusé.
2. Eh par la tête de Dieu ! Monsieur, voyez qui l'on peut bien être : / Un livret, je vous prie, au baron d'Asvarat. / Je pense, mordieu, que le fat / N'a pas l'honneur de me connaître.
3. Monsieur le donneur de papier, / Que veut dire cette façon de vivre ? / Moi, j'écorche tout mon gosier / À crier, / Sans que je puisse avoir un livre : / Pardieu, ma foi ! Monsieur, je pense que vous êtes ivre.

De tant d'amoureux l'objet,
N'ait pas à son souhait
Un livre de ballet,
Pour lire le sujet
Du divertissement qu'on fait,
Et que toute notre famille
Si proprement s'habille,
Pour être placée au sommet
De la salle, où l'on met
Les gens de Lantriguet [1].
De tout ceci, franc et net,
Je suis mal satisfait,
Et cela sans doute est laid.

VIEILLE BOURGEOISE BABILLARDE

Il est vrai que c'est une honte,
Le sang au visage me monte,
Et ce jeteur de vers qui manque au capital [2]
L'entend fort mal ;
C'est un brutal,
Un vrai cheval,
Franc animal,
De faire si peu de compte
D'une fille qui fait l'ornement principal
Du quartier du Palais-Royal,
Et que ces jours passés un comte
Fut prendre la première au bal.
Il l'entend mal ;
C'est un brutal,
Un vrai cheval,
Franc animal.

HOMMES ET FEMMES DU BEL AIR

Ah ! quel bruit !

      Quel fracas !

           Quel chaos !

              Quel mélange !

1. Les provinciaux.
2. À l'essentiel.

Quelle confusion !

           Quelle cohue étrange !

Quel désordre !

          Quel embarras !

On y sèche.

       L'on n'y tient pas.

GASCON

Rentre ! jé suis à vout [1].

AUTRE GASCON

J'enrage, Diou mé damne [2] *!*

SUISSE

Ah que ly faire saif dans sty sal de cians [3] *!*

GASCON

Jé murs [4].

AUTRE GASCON

Jé perds la tramontane [5].

SUISSE

Mon foy ! moy le foudrois estre hors de dedans [6].

VIEUX BOURGEOIS BABILLARD

Allons, ma mie,
Suivez mes pas,
Je vous en prie,
Et ne me quittez pas :
On fait de nous trop peu de cas,
Et je suis las

---

1. Ventre ! je suis à bout.
2. J'enrage, Dieu me damne !
3. Ah ! qu'il fait soit dans cette salle de céans !
4. Je meurs.
5. Je perds la tramontane. (L'étoile Polaire, d'où : je perds le nord.)
6. Ma foi ! Moi, je voudrais être dehors.

De ce tracas :
Tout ce fatras,
Cet embarras
Me pèse par trop sur les bras,
S'il me prend jamais envie
De retourner de ma vie
À ballet ni comédie,
Je veux bien qu'on m'estropie.
Allons, ma mie,
Suivez mes pas,
Je vous en prie,
Et ne me quittez pas :
On fait de nous trop peu de cas.

VIEILLE BOURGEOISE BABILLARDE

Allons, mon mignon, mon fils,
Regagnons notre logis,
Et sortons de ce taudis,
Où l'on ne peut être assis :
Ils seront bien ébaubis
Quand ils nous verront partis.
Trop de confusion règne dans cette salle,
Et j'aimerais mieux être au milieu de la Halle.
Si jamais je reviens à semblable régale,
Je veux bien recevoir des soufflets plus de six.
Allons, mon mignon, mon fils,
Regagnons notre logis,
Et sortons de ce taudis,
Où l'on ne peut être assis.

TOUS

À moi, Monsieur, à moi de grâce, à moi, Monsieur :
Un livre s'il vous plaît, à votre serviteur.

SECONDE ENTRÉE

Les trois importuns dansent.

TROISIÈME ENTRÉE

TROIS MUSICIENS ESPAGNOLS

Sé que me muero de amor,
Y solicito el dolor.
Aun muriendo de querer,
De tan buen ayre adolezco,
Que es màs de lo que padezco
Lo que quiero padecer,
Y no pudiendo exceder
A mi deseo el rigor.
Sé que me muero de amor,
Y solicito el dolor.
Lisonxèame la suerte
Con piedad tan advertida,
Que me asegura la vida
En el riesgo de la muerte.
Vivir de su golpe fuerte
Es de mi salud primor.
Sé que[1], *etc.*

Six Espagnols dansent.

TROIS ESPAGNOLS chantent

¡ Ay ! qué locura, con tanto rigor
Quexarse de Amor,
Del niño bonito
Que todo es dulçura !
¡ Ay ! qué locura !
¡ Ay ! qué locura[2] *!*

---

1. Je sais que je me meurs d'amour, / Et je recherche la douleur. / Quoique mourant de désir, / Je dépéris de si bon air, / Que ce que je désire souffrir / Est plus que ce que je souffre, / Et la rigueur de mon mal / Ne peut excéder mon désir, / Je sais que je meurs d'amour, / Et je recherche la douleur. / Le sort me flatte / Avec une pitié si attentive, / Qu'il m'assure la vie / Dans le danger de la mort. / Vivre d'un coup si fort / Est le prodige de mon salut / Je sais, etc.

2. Ah ! quelle folie, de se plaindre / De l'Amour avec tant de rigueur, / De l'enfant gentil / Qui est la douceur même ! / Ah ! quelle folie ! / Ah ! quelle folie !

ESPAGNOL chantant

El dolor solicita
El que al dolor se da ;
Y nadie de amor muere,
Sino quien no save amar[1].

DEUX ESPAGNOLS

Dulce muerte es el amor
Con correspondencia ygual ;
Y si ésta gozamos oy,
¡ Porque la quieres turbar[2]*.?*

UN ESPAGNOL

Alégrese enamorado,
Y tome mi parecer ;
Que en esto de querer ;
Todo es hallar el vado[3].

TOUS TROIS ensemble

¡ Vaya, vaya de fiestas !
¡ Vaya de vayle !
¡ Alegrìa, alegrìa, alegrìa !
Que esto de dolor es fantasìa[4].

1. La douleur tourmente / Celui qui s'abandonne à la douleur ; / Et personne ne meurt d'amour, / Si ce n'est celui qui ne sait pas aimer.
2. L'amour est une douce mort / Quand on est payé de retour ; / Et si nous en jouissons aujourd'hui, / Pourquoi la veux-tu troubler ?
3. Que l'amant se réjouisse, / Et adopte mon avis ; / Car, lorsqu'on désire, / Tout est de trouver le moyen.
4. Allons, allons, des fêtes ! / Allons, de la danse ! / Gai, gai, gai ! / La douleur n'est qu'une fantaisie.

QUATRIÈME ENTRÉE

ITALIENS

UNE MUSICIENNE ITALIENNE fait le premier récit, dont voici les paroles :

Di rigori armata il seno,
Contro amor mi ribellai ;
Ma fui vinta in un baleno
In mirar duo vaghi rai ;
Ahi ! che resiste puoco
Cor di gelo a stral di fuoco !
Ma sì càro è'l mio tormento,
Dolce è sì la piaga mia,
Ch'il penare è'l mio contento,
E'l sanarmi è tirannia,
Ahi ! che plù giova o piace,
Quanto amor è più vivace[1] *!*

Après l'air que la musicienne a chanté, deux Scaramouches, deux Trivelins, et un Arlequin représentent une nuit à la manière des comédiens italiens, en cadence.

(Un musicien italien se joint à la musicienne italienne, et chante avec elle les paroles qui suivent :)

LE MUSICIEN ITALIEN

Bel tempo che vola
Rapisce il contento ;
D'Amor nella scola
Si coglie il momento[2].

1. Ayant armé mon sein de rigueurs, / Je me révoltai contre l'amour ; / Mais je fus vaincue en un éclair / En regardant deux beaux yeux ; / Ah ! qu'un cœur de glace / Résiste peu à une flèche de feu ! / Cependant mon tourment m'est si cher, / Et ma plaie est si douce, / Que ma peine fait mon bonheur, / Et que me guérir serait une tyrannie. / Ah ! plus l'amour est vif, / Plus il a de charmes et cause de plaisir !
2. Le beau temps qui s'envole / Emporte le plaisir ; / À l'école d'Amour / On cueille le moment.

LA MUSICIENNE

Insin che florida
Ride l'età,
Che pur tropp' orrida
Da noi sen và [1],

TOUS DEUX

Sù cantiamo,
Sù godiamo
Ne' bei dì di gioventù :
Perduto ben non si racquista più [2].

MUSICIEN

Pupilla che vaga
Mill' alme incatena
Fà dolce la piaga,
Felice la pena [3].

MUSICIENNE

Ma poiche frigida
Langue l'età,
Più l'alma rigida
Fiamme non ha [4].

TOUS DEUX

Sù cantiamo [5], etc.

(Après le dialogue italien, les Scaramouches et Trivelins dansent une réjouissance.)

1. Tant que l'âge en fleur / Nous rit, / L'âge qui trop promptement, hélas ! / S'éloigne de nous, *(bis)*.
2. Chantons, / Jouissons / Dans les beaux jours de la jeunesse : / Un bien perdu ne se recouvre plus.
3. Un œil dont la beauté / Enchaîne mille cœurs / Fait douce la plaie, / Le mal qu'il cause est un bonheur.
4. Mais quand languit / L'âge glacé, / L'âme engourdie / N'a plus de feu *(bis)*.
5. Chantons, etc.

CINQUIÈME ENTRÉE

FRANÇAIS

PREMIER MENUET

DEUX MUSICIENS POITEVINS dansent, et chantent les paroles qui suivent :

Ah ! qu'll fait beau dans ces bocages !
Ah ! que le ciel donne un beau jour !

AUTRE MUSICIEN

Le rossignol, sous ces tendres feuillages,
Chante aux échos son doux retour :
Ce beau séjour,
Ces doux ramages,
Ce beau séjour
Ce beau séjour
Nous invite à l'amour.

SECOND MENUET

TOUS DEUX ensemble

Vois, ma Clımène,
Vois sous ce chêne
S'entre-baiser ces oiseaux amoureux ;
Ils n'ont rien dans leurs vœux
Qui les gêne ;
De leurs doux feux
Leur âme est pleine.
Qu'ils sont heureux !
Nous pouvons tous deux,
Si tu le veux,
Être comme eux.

(Six autres Français viennent après, vêtus galamment à la poitevine, trois en hommes et trois en femmes, accompagnés de huit flûtes et de hautbois, et dansent les menuets.)

SIXIÈME ENTRÉE

(Tout cela finit par le mélange des trois nations, et les applaudissements en danse et en musique de toute l'assistance, qui
chante les deux vers qui suivent :)

Quels spectacles charmants, quels plaisirs goûtons-nous !
Les dieux mêmes, les dieux n'en ont point de plus doux.

LES CLÉS DE L'ŒUVRE

I - AU FIL DU TEXTE

II - DOSSIER HISTORIQUE ET LITTÉRAIRE

Pour approfondir votre lecture, LIRE vous propose une sélection commentée :
• de morceaux « classiques » devenus incontournables, signalés par ●◆ (droit au but).
• d'extraits représentatifs de l'œuvre, signalés par ဆ (en flânant).

AU FIL DU TEXTE

Par Corinne Rescalat,
professeur au collège Saint-Exupéry, Andrésy.

AU FIL DU TEXTE

I - DÉCOUVRIR

La phrase clé

« Belle marquise, vos beaux yeux me font mourir d'amour. »

Acte II, scène 4, p. 47.

• LA DATE

Un an avant la publication du *Bourgeois gentilhomme*, en 1670, Molière est marqué par le deuil de son père, décédé le 23 février 1669. Il est au terme de sa vie – il mourra le 17 février 1673 – mais son œuvre fait montre d'une franche gaieté, propre à la comédie-ballet, genre auquel appartient la pièce du *Bourgeois gentilhomme*, précédée la même année d'une autre comédie-ballet, *Les Amants magnifiques*. À cette date, Molière a déjà conçu douze comédies-ballets.

1670 est marquée **en politique** par la signature du traité de Douvres, des rapports tendus entre la France et la Turquie, et la mort d'Henriette d'Angleterre.

En littérature, paraissent la première édition des *Pensées* de Pascal, *Bérénice* de Racine, *Tite et Bérénice* de Corneille.

En architecture, Perrault achève la colonnade du Louvre ; Mansard succède à Le Vau pour édifier le palais de Versailles ; Colbert se fait construire son château de Sceaux.

En peinture, Ruysdael réalise *Le Cimetière juif*.

• LE TITRE

L'intitulé de l'œuvre, qualifiant le personnage-titre de la pièce, reflète la dualité de Monsieur Jourdain, bourgeois désireux de se faire gentilhomme. Cet écart entre l'être et le paraître, source du ridicule du personnage et moteur de l'action, dynamise le comportement de Monsieur Jourdain, partagé entre deux conditions sociales, l'une réelle, l'autre chimérique.

Personnage ridicule, Monsieur Jourdain n'en est que plus attachant. Son excentricité et son puéril entêtement à vouloir être de la noblesse, font de lui un sympathique original, un personnage fantasque, aux couleurs du costume chamarré que portait Molière dans le rôle du bourgeois.

Ainsi, *Le Bourgeois gentilhomme* est un mélange de comédie de mœurs, par son aspect de satire de la société, et de farce, par la dimension burlesque du personnage de Monsieur Jourdain.

• COMPOSITION

Le point de vue de l'auteur

Le pacte de lecture

Le génie de Molière, qui marque l'originalité de son théâtre en un siècle où la verve farcesque outrancière et grossière du genre comique était jugée indigne de l'élégance et de l'harmonie de l'idéal classique, est d'avoir su « railler en honnête homme » : alliant Térence à Tabarin, il imite, sur et pour la scène, les ridicules des hommes, en reproduisant par des moyens esthétiques leurs difformités, leurs « disconvenances », selon l'expression de *La Lettre sur la Comédie de l'Imposteur*.

Si le comique dans *Le Bourgeois gentilhomme*, expression de la « vis comica », est destiné à éclairer le ridicule d'un homme pris par le désir obsessionnel d'une ascension sociale, le rire ne se limite pas chez Molière à sa simple fonction cathartique du *castigat ridendo mores* ; plus qu'un moyen, il est un but ; il est plus qu'un rire moralisateur, nous introduisant dans un monde à part où le rire autonome et gratuit s'ouvre sur la poésie. C'est le final enchanteur et magique du « Ballet des Nations », apothéose de la déraison de Monsieur Jourdain ; la comédie, loin de corriger notre bourgeois, devient l'espace fictif qui l'enferme dans sa folie, piégé par la comédie qu'il a donnée et où il s'est donné en spectacle, victime de son image de gentilhomme.

La poésie mise en œuvre par l'écriture dramatique de Molière exige du lecteur qu'il sache voir : « Les comédies ne sont faites que pour être jouées, et je ne conseille de lire celles-ci qu'aux personnes qui ont des yeux pour découvrir dans la lecture tout le jeu du théâtre » (*in* l'avertissement au lecteur de *L'Amour médecin*).

C'est le jeu, inspiré de la Commedia dell'arte – où Molière acteur s'est formé, avec pour maître Tiberio Fiorilli, dit Scaramouche –, qui préside à l'écriture moliéresque : plus qu'un simple outil dramatique, il constitue la dynamique originale du dialogue ainsi mû par le rythme de la voix et la gestuelle des corps.

Les objectifs d'écriture

La dramaturgie de Molière est tout entière motivée par le souci du public, adaptant les règles, s'octroyant même parfois de les respecter dans le seul but de plaire. Dans sa préface aux *Fâcheux*, Molière déclarait : « Ce n'est pas mon dessein d'examiner maintenant si tout cela pouvait être mieux, et si tous ceux qui s'y sont divertis ont ri selon les règles. [...] Je m'en remets aux décisions de la multitude et je tiens aussi difficile de combattre un ouvrage que le public approuve, que d'en défendre un qu'il condamne. »

La conception du *Bourgeois gentilhomme* est une illustration parfaite de cette dimension spectaculaire : à l'origine d'une commande royale d'une comédie-ballet (cf. la préface de la présente édition, p. 3), son intrigue, conçue pour inclure en son sein des éléments de divertissement, soumet la structure aux exigences de la danse et de la musique qui ornementent les scènes et les intermèdes de la fin des actes.

Souvent critiquée pour son manque d'unité, la composition de la pièce, si elle est essentiellement régie par les nécessités des « agréments » – selon le mot employé par Molière – n'éclaire pas moins pour autant le personnage de Monsieur Jourdain ; les passages chantés et dansés, découlant naturellement de la scène où ils s'intègrent (cf. « Structure de l'œuvre », ci-après).

Naturel, c'est le mot clé du style moliéresque, décelable dès la lecture, dans le jeu de l'acteur qui s'exprime à travers l'aspect ludique, proprement théâtral de l'écriture de l'auteur ; Molière concevant ses rôles pour et en fonction d'un comédien comme en témoigne la distribution du *Bourgeois gentilhomme* : de Brie qui passait pour un bretteur interpréta le maître d'armes (acte II, scène 2), Mlle Beauval se vit confier le personnage de Nicole pour le rire qu'elle affichait sans cesse et dont Molière a su tirer parti (acte III, scène 2), Madame Jourdain fut jouée par Hubert, second comique de la troupe (les comédiennes, à l'époque, ne tenaient pas les rôles de « vieilles » femmes), habitué à ce genre de personnage pour avoir déjà interprété Pernelle dans *Tartuffe*, Madame de Sottenville dans *George Dandin* ou Lucette dans *Monsieur de Pourceaugnac*, le maître de philosophie fut assuré par du Croisy, à qui l'on laissait les poètes et les pédants (acte II, scènes 3 et 4).

Ainsi, dans un souci de jeu théâtral, le naturel recherché donne aux personnages le style qui leur est propre. Mais si ce naturel reflète l'ambition du *speculum vitae* de peindre les hommes d'après nature, il n'est pas pour autant synonyme de réalisme : Molière tire le naturel de l'artifice, l'impression de vie, de la stylisation.

Il emploie une variété de langages adaptés à une situation dramatique, à la condition sociale des personnages, et qui emprunte ses accents à la caricature, rendant l'expressivité des scènes, révélant l'attitude d'un jeu scénique, le ton et les inflexions de la voix, le rythme de la parole. La vivacité et la mécanique verbale du style de Molière – influencées par la tradition de théâtre improvisé ou semi-improvisé de la Commedia dell'arte – épousent les pensées des personnages, règlent leurs échanges, illustrant les relations et les comportements psychologiques.

Structure de l'œuvre

LA COMÉDIE-BALLET

La structure du *Bourgeois gentilhomme* ne reproduit pas l'équilibre prôné par les règles classiques, comme le reflète l'inégale composition des actes : le premier acte comporte deux scènes, les actes II, IV et V varient entre cinq et six scènes, alors que l'acte III en comprend seize. Ce déséquilibre est toutefois compensé par les parties dansées et chantées ; car si l'action dramatique ne souffre pas de la suppression des agréments, il n'en demeure pas moins que ces mêmes éléments illustrent la fantaisie du personnage de Monsieur Jourdain, assurant, si ce n'est une cohésion dramatique, une cohérence psychologique et participant à la dimension poétique de la pièce.

Les agréments peuvent être répartis selon un classement qui distingue les différentes places auxquelles s'insèrent les chants et les danses, et les interprètes de ces parties chorégraphiques et musicales :

– Les fins des actes I, II et III, désignés comme intermèdes, sont assurées par des musiciens et des danseurs, dont les rôles ne sont pas tenus par les personnages de la pièce : il s'agit de la démonstration exécutée par quatre danseurs, sous la direction du maître à danser (acte I, scène 2) ; de la danse des garçons tailleurs manifestant leur enthousiasme, en réaction à la générosité de Monsieur Jourdain qui les récompense pour leurs flatteuses civilités à son égard (acte II, scène 5), et de la danse des cuisiniers qui ont préparé le festin pour le dîner que Monsieur Jourdain veut donner en l'honneur de la marquise Dorimène (acte III, scène 16).

– D'autres danses et des chants interviennent au cours des scènes, quand Monsieur Jourdain improvise la chanson de « Janneton » (acte I, scène 2), défile en cadence dans son nouvel habit devant le maître tailleur (acte II, scène 5) et enfin lorsque des chansons à boire animent le dîner de la scène 1 de l'acte IV.

– Les fins des actes IV et V aboutissent enfin aux turqueries de la cérémonie d'anoblissement de Monsieur Jourdain en « Mamamouchi » (acte IV, scène 5 ; 4e intermède) et du « Ballet des Nations » qui célèbre le mariage de Lucile et de Cléonte en fils du Grand Turc.

LA CONDUITE DE L'ACTION

Si l'action ne démarre véritablement qu'à l'acte III, tous les actes en revanche forment une unité autour des extravagances du personnage central de Monsieur Jourdain, faisant ainsi du *Bourgeois gentilhomme* une « pièce à vedette », l'acteur détenteur du rôle étant présent vingt-quatre scènes sur trente-quatre : la première est la seule scène où il n'occupe pas le théâtre, l'entrée de Monsieur Jourdain étant repoussée à la scène suivante, selon le schéma classique de la présentation du personnage, lors de la scène d'exposition où, piquant la curiosité du spectateur, les allusions faites sur la personne de Monsieur Jourdain par le maître à danser et le maître de musique donnent une idée du caractère du bourgeois.

Actes I et II

La scène est investie par le défilé continu des maîtres, qui, par intérêt, flattent Monsieur Jourdain, dont le caractère ainsi éclairé, et que l'on devine déjà bilieux et autoritaire, s'affirmera encore d'avantage à l'acte III qui engage l'action vers une « comédie domestique ».

Acte III

Monsieur Jourdain affronte sa famille : d'élève docile et soumis au savoir, il adopte la position de supériorité du maître de maison tyrannique et « cultivé ». Ses rapports conflictuels avec Madame Jourdain et Nicole éclairent alors d'autant mieux son ridicule, mesuré, par contrepoint, au bon sens des deux femmes. L'intrigue, dynamisée par la perspective du mariage contrarié de Cléonte et Lucile, ainsi que par la relation du couple Dorante/Dorimène, est amorcée à la scène 7, lors de l'annonce du mariage des deux jeunes gens, et relancée par Covielle à la scène 13, lorsque celui-ci, faisant part de son stratagème pour mener à bien l'entreprise des amoureux, fait rebondir l'action.

Actes IV et V

Les actes IV et V, couronnés par les turqueries, mènent l'intrigue à son terme.

Les trois dernières scènes de l'acte IV préparent le dénouement grâce à la mise en œuvre du stratagème de Covielle. Il est enclenché à la scène 3, lorsque, déguisé en ambassadeur du fils du Grand Turc, le valet expose sa requête de mariage, et poursuivi aux actes IV et V par, respectivement, les « salamalecs » des présentations du fils du Grand Turc à Monsieur Jourdain, et l'intronisation du bourgeois en « Mamamouchi ».

L'acte V fait revêtir à Monsieur Jourdain sa toute fraîche identité qui résoudra l'intrigue. Tout le monde salue sa nouvelle « Altesse ». Refusant d'abord le mariage, puis reconnaissant Cléonte sous ses atours turquesques, Lucile, à la scène 5 et Madame Jourdain, à la scène 6, s'inclinent avec soulagement devant la volonté du maître de maison. Persuadé de faire entendre son autorité et de marier sa fille à la plus haute noblesse, Monsieur Jourdain ne « voit » aussi que « du feu » à l'hymen qui lie Dorante à Dorimène (dont l'union est le doublet aristocratique de celle de Lucile et Cléonte). Le marquis dupe le bourgeois jusqu'au bout en lui faisant admettre ce mariage pour mieux « faire accroire » à la marquise le désintéressement que lui-même conseillait à Monsieur Jourdain, comme preuve de galanterie, signe d'une noble et distinguée discrétion envers la Dame aimée (cf. les tromperies de Dorante envers Monsieur Jourdain à propos de sa relation avec Dorimène, également à l'acte III, scènes 15 et 16 ; à l'acte IV, scène 1 et à l'acte V, scène 6).

Ainsi, les deux derniers actes font sombrer dans la folie Monsieur Jourdain qui, progressivement aveuglé par lui-même dans les actes précédents et dupé par tous, devient l'acteur de sa propre méprise.

La conduite de l'action s'apparente donc très partiellement – compte tenu de l'intrigue ténue – au canevas de la comédie d'intrigue à l'italienne, reproduisant le schéma actantiel classique d'un amour contrarié par un rival (« opposant ») et qu'un dénouement heureux vient satisfaire grâce à l'entreprise favorable d'alliés (« adjuvants »).

LE THÉÂTRE DANS LE THÉÂTRE

Le personnage de Monsieur Jourdain se donnant en spectacle introduit dans la pièce une dimension de mise en abyme du regard du spectateur qui voit un personnage jouant à devenir un autre que lui-même.

Georges Forestier analyse la représentation du personnage du *Bourgeois gentilhomme* à travers un rapport de « regardant-regardé ».

L'aspect spectaculaire du *Bourgeois gentilhomme*, renforcé par le procédé de théâtre dans le théâtre, qui intègre une fonction métalinguistique du texte qui se théâtralise, et que Covielle dévoile clairement lors de l'annonce de son projet à Cléonte en ces termes à l'acte III, scène 13 :

« Il s'est fait depuis peu une certaine mascarade qui vient le mieux du monde ici, et que je prétends faire rentrer dans une bourle que je veux faire à notre ridicule. Tout cela sent un peu sa comédie ; mais avec lui on peut hasarder toute chose, il n'y faut point chercher tant de façons, et il est homme à y jouer son rôle à merveille, à donner aisément dans toutes les fariboles qu'on s'avisera de lui dire. J'ai les acteurs, j'ai les habits tout prêts : laissez-moi faire seulement »,

annule définitivement le réalisme social de la pièce pour la faire basculer dans le féerique ravissement du ballet final.

Alors « le regard du spectateur intérieur [par "spectateur intérieur" G. Forestier désigne les personnages qui assistent au "Ballet des Nations"] est le dernier lien qui retient le public sur les bords du rêve pur, tout en le poussant dans l'incertitude la plus totale : car il hésite non pas entre le réel et la fiction, comme dans le cas du théâtre dans le théâtre ordinaire, mais entre la fiction et le merveilleux. Dans le premier cas l'incertitude a pour nom illusion, dans celui-ci fantasmagorie » (Georges Forestier, *Le Théâtre dans le théâtre*, Droz, 1996, p. 136)

Enfin la « mascarade » à laquelle Covielle fait allusion dans cette réplique renvoie un clin d'œil ironique à l'actualité qui a motivé l'écriture de la pièce, Molière démontrant une fois de plus l'aspect de « miroirs publics » de son théâtre qui puise ses caractères dans le spectacle de la société et que le personnage d'Uranie, à la scène 6 de *La Critique de l'École des femmes*, souligne par, précisément, l'emploi de cette expression.

II - LIRE

Pour approfondir votre lecture, LIRE *vous propose une sélection commentée :*
- *de morceaux « classiques » devenus incontournables, signalés par* ➡️ *(droit au but).*
- *d'extraits représentatifs de l'œuvre, signalés par* ↪️ *(en flânant).*

➡️ 1 - *Les leçons des maîtres à danser et de musique* acte I, scène 2	pp. 18-28

Cette scène s'intègre dans la logique des deux premiers actes consacrés à camper le personnage du bourgeois qui reçoit, dans sa demeure ouverte aux visites incessantes, des maîtres qui l'instruisent sur le mode de vie de la noblesse.

On verra comment elle illustre l'art de ménager une entrée : la première réplique, sur laquelle s'ouvre le dialogue, éclaire d'emblée l'allure désinvolte et le ton impérieux du personnage qui veut paraître à l'aise dans son nouveau train de vie. On insistera, par exemple, sur la brièveté de cette réplique, qui d'un trait dresse le comportement de Monsieur Jourdain.

On verra comment ce comportement dynamise la scène en deux temps : d'abord, Monsieur Jourdain mène le dialogue, soumettant à un spectacle vestimentaire le regard des maîtres qui acquiescent avec flagornerie aux commentaires du bourgeois sur la qualité de ses habits ; puis le mouvement s'inverse, modifiant la longueur des répliques des personnages : Monsieur Jourdain devient le spectateur approbateur, presque muet, d'un entretien entre les maîtres, sur leur art respectif.

Ainsi, les maîtres, tout autant que le public, assistent à l'exhibition de Monsieur Jourdain qui montre avec une fierté et un empressement puérils sa nouvelle garde robe, puis s'exécute, après avoir dédaigné avec audace le sonnet du maître de musique, dans l'interprétation de la chanson de « Janneton ».

On soulignera à ce propos l'opposition entre le style affecté, les paroles ampoulées, qui rendent le sonnet presque inintelligible, et le ton populaire du couplet de « Janneton » dont Molière raille aussi la métaphore incongrue du tigre, expression de la cruauté de la belle, par la voix bouffonne de Monsieur Jourdain. Cette condamnation allusive à la mode précieuse de l'époque, dont Molière accuse le manque de naturel, et que l'on pourra rapprocher de la réaction d'Alceste au sonnet d'Oronte à la scène 2 de l'acte I du *Misanthrope*, participe de la satire des mœurs, également présente dans le pédantisme du discours des maîtres vantant respectivement leur art en en justifiant l'utilité par une argumentation absurde dont la rhétorique marque la vanité de leurs propos. On pourra analyser comment ils jouent avec prétention sur le langage, prenant les mots au pied de la lettre pour fonder des rapports entre la musique, la danse et la politique ; et comment les brèves approbations de Monsieur Jourdain, qui rythment l'entretien, accentuent le ridicule de la situation. Un Monsieur Jourdain qui se laisse prendre aux apparences du langage tout autant que par le paraître.

➡ 2 - *Le maître de philosophie*
   acte II, scène 4   pp. 39-48

La scène s'articule en quatre temps :
- une entrée en matière : faisant allusion à la joute verbale à laquelle il prit part, lors de la scène précédente, entre les maîtres d'armes, de musique, à danser, défendant corps et âme la suprématie de leur discipline respective, le maître de philosophie, devant Monsieur Jourdain confus, recouvre ses esprits en se référant à la philosophie maîtresse de sagesse puis entreprend, à grand renfort de citations latines, un discours sur les vertus de la science « sans qui la vie est une image de la mort » : démonstration qu'il pratiquera à ses dépens au cours de la scène, à travers ses différentes leçons, toutes rébarbatives, sclérosées par la rhétorique qu'elles emploient ;
- un exposé savant, faisant allusion à la logique d'Aristote reprise et modifiée par l'enseignement scolastique de l'époque, hérité du Moyen Âge — dispensée alors dans les monastères et les écoles épiscopales, « scola » — et qui diffusait la science des Universaux, nom sous lequel les scolastiques désignaient les idées ou termes généraux qui servaient à classer les êtres et les idées ;
- la leçon de phonétique inspirée du *Discours physique de la parole*, publié en 1668, par M. de Cordemoy, membre de l'Académie française et lecteur du Dauphin ;
- l'élaboration du billet que Monsieur Jourdain destine à Dorimène.

On analysera comment chacune de ces parties éclaire la vanité des enseignements dispensés qui n'apportent rien d'utile à Monsieur Jourdain, le mouvement général de la scène confirmant de plus en plus cette vacuité.

L'exposé des Universaux tourne au ridicule car il est inadapté à l'élève. Le discours pédant du maître reflète une pédagogie dogmatique et formaliste, mise en relief par une syntaxe plate et monotonement régulière, qui trahit l'ennui de Monsieur Jourdain. On pourra voir comment, par exemple, l'énumération qui reprend la diversité des éléments traduit un discours qui se perd en lui-même.

Alors que Monsieur Jourdain réagit avec une déférence agaçante face à un savoir qui le dépasse, la superficialité de la leçon de phonétique ne l'empêche pas pour autant d'exprimer son enthousiasme, manifestant une joie béate à se voir capable de saisir ces rudiments de prononciation. Les efforts démesurés qu'il déploie pour articuler les voyelles font naître le comique, accentué par la récurrence de ses exclamations : « Ah ! les belles choses ! »

On opposera le rythme de cet échange à celui du précédent exposé, pour apprécier comment Molière parvient, à travers la cadence du dialogue, à rendre le ton et l'attitude des personnages en situation.

Enfin on analysera le ridicule de la distinction faite entre la prose et la rime en se référant aux dénonciations des doctes puristes qui attaquèrent Molière pour n'avoir pas utilisé les rimes dans certaines de ses comédies (cf. les pièces de *La Querelle de l'École des femmes*). Molière, ainsi, fait ici allusion à ces critiques, en soulignant avec ironie l'égalité de statut entre ces deux modes d'écriture, qu'en poète dramatique il choisissait selon les exigences de ses pièces, soucieux avant tout de naturel. Les deux plus importants théoriciens de théâtre de la première moitié du XVIIe siècle, Chapelain dans *La Lettre sur les vingt-quatre heures* de 1630 et d'Aubignac dans *La Pratique du théâtre* de 1657, partageaient la conception de Molière, soutenant que la vraisemblance au théâtre dépendait de l'adoption de la prose.

☞ **3 - *La surenchère des titres de noblesse***
acte II, scène 5   pp. 48-52

On retrouve ici Monsieur Jourdain en présence de son maître tailleur. Le dialogue s'articule en deux temps, avec lesquels alternent les parties dansées : d'abord les reproches que Monsieur Jour-

dain fait à son tailleur à propos de son nouvel habit et l'impertinence
de ce dernier qui masque avec audace ses négligences attestant de
son manque de considération pour Monsieur Jourdain ; suivis du
défilé en cadence de Monsieur Jourdain dans sa nouvelle tenue ;
puis le jeu du garçon tailleur qui flatte le bourgeois en l'honorant
de titres de noblesse pour recevoir un pourboire ; enfin le ballet de
quatre garçons tailleurs, qui se réjouissent de la générosité du maître
de maison, fait office de second intermède.

On pourra plus en détail analyser la rigueur de la structure en
écho des deux premières parties, selon un rythme ternaire qui donne
un mouvement allègre à la scène :

Ainsi, à trois reprises Monsieur Jourdain critique sa nouvelle
tenue à propos « des bas de soie si étroits » qu'ils le blessent, des
fleurs « cousues en bas » alors que « les personnes de qualité » les
portent en haut, de l'étoffe dont le tailleur s'est impunément servi
pour son propre usage ; et à trois reprises le maître tailleur se justifie, poussant l'insolence jusqu'à mettre un terme aux remarques de
Monsieur Jourdain, en détournant la conversation pour lui proposer
de porter son habit.

De même, la seconde partie du dialogue présente la même composition : par trois fois, le garçon tailleur gratifie Monsieur Jourdain
par une surenchère de titres, le nommant tour à tour « Mon gentilhomme », « Monseigneur », et « Votre Grandeur ». Le bourgeois, au
comble de la joie, exulte d'une autosatisfaction risible et, se prenant
au jeu des apparences, il accuse une maladresse de langage – dont
il n'a absolument pas conscience – par laquelle il s'auto-ridiculise,
reprenant le possessif de l'expression « Votre Grandeur » à la première personne du singulier : « Ma Grandeur ».

4 - *Le rire de Nicole*
acte III, scène 2   pp. 53-56

La scène 1 de l'acte III faisant office d'une simple et très brève
scène de transition, cette scène 2 est la première à confronter le ridicule de Monsieur Jourdain aux membres de sa maison. Le rideau
s'ouvre sur les éclats de voix de Nicole, contorsionnée de rire à la
vue de l'accoutrement de son maître que le tailleur vient de quitter
(acte II, scène 5).

On analysera l'humiliation de Monsieur Jourdain et l'effronterie
de Nicole, fidèle à la tradition du caractère franc et direct de la servante et du valet de comédie.

On verra comment les menaces du maître retiennent pour un bref instant le fou rire incontrôlable de Nicole qui rythme la scène et laisse pantois Monsieur Jourdain.

Une structure plus globale du passage relève de l'interruption définitive des rires, après l'annonce par Monsieur Jourdain d'une visite supplémentaire qui indispose Nicole. On appréciera l'effet de ménagement, ainsi opéré, de la scène 4, et celui de mise en éveil de la curiosité du spectateur, piquée par « la compagnie qui doit venir tantôt » – c'est-à-dire Dorante.

On remarquera les effets de la ponctuation, traduisant les efforts de Nicole pour s'empêcher de rire et marquant la coupure des répliques de Monsieur Jourdain contraint de se taire.

Ainsi cette scène illustre la fonction libératrice du rire moliéresque, manifestation du bon sens devant le spectacle des ridicules ; un rire franc et sain, celui du spectateur (cf. dans le « Parcours critique », ci-après, la façon dont Patrick Dandrey approfondit le rire chez Molière).

⌒ 5 - *Les lamentations amoureuses du maître et du valet* – acte III, scène 9　　| pp. 78-82

Dans cette scène, Cléonte et Covielle se plaignent de l'indifférence de celle qu'ils aiment. Leurs lamentations exaltées suscitent le comique de la scène qui parodie le langage amoureux.

On analysera le comportement des deux personnages à travers l'expression de leur discours stéréotypé, ainsi qu'à travers le dynamisme du dialogue, opéré par le parallélisme des répliques échangées.

On pourra remarquer, dans la longue tirade de Cléonte dans le rôle de l'amant passionné, le jeu des pronoms de la première et troisième personne du singulier, « je » et « elle », qui hypertrophient le texte ; l'emploi d'un style hyperbolique et précieux, soutenu par une syntaxe complexe et un ton exclamatif qui traduisent les soupirs de l'amoureux transi : la longueur des phrases – au nombre de deux –, segmentées par des propositions, juxtaposées ou coordonnées, mime l'essoufflement de l'acteur emporté par cette envolée lyrique.

La poursuite de la scène reprend, en l'intensifiant, cette caricature des sentiments, en l'orchestrant à travers la mécanique d'horlogerie d'un dialogue, ainsi fortement rythmé.

Le mouvement général de la scène accentue l'ardeur de Cléonte, qui malgré sa douloureuse déception ne se résout pas à abandonner son amour ; c'est ce que l'avant-dernière réplique du valet à son maître fait remarquer : « [...], je vois bien que vous avez envie de l'aimer toujours ».

Ainsi on pourra analyser l'avancée du dialogue selon les temps suivants :

1° Les deux personnages dénoncent en écho l'ingratitude des belles : on pourra par exemple, ici, étudier plus en détail les reprises anaphoriques par Covielle, des répliques de Cléonte, ainsi que le décalage entre la langue populaire, truculente et familière de Covielle et celle soutenue de Cléonte, traduisant l'opposition de condition sociale entre le maître et le valet.

2° Cléonte prie Covielle, qui acquiesce, de ne jamais intervenir en faveur de Lucile.

3° En parfait amoureux trompé, Cléonte cherche à haïr Lucile autant qu'il l'aime ; renversant le regard qu'il porte sur elle, il la désacralise, encouragé par les critiques de Covielle qu'il reprend systématiquement, en les nuançant toutefois d'un trait flatteur, ponctuant ainsi ses répliques d'un « mais » rectificateur.

4° Ne laissant plus le valet formuler ses critiques il le coupe, argumentant lui-même favorablement les attributs de Lucile, que Covielle a tout juste le temps d'énoncer.

| ☞ 6 - *Le ballet de paroles* acte III, scène 10 | pp. 82-90 |

On appréciera ici l'art de mener un « ballet de paroles », donnant du relief à une scène sans autre intérêt que celui du plaisir du spectateur de voir se quereller, sur un rythme alerte, les deux couples d'amoureux : celui des maîtres, Cléonte et Lucile, et celui des valets, Covielle et Nicole : « Ici le duo [...] devient un quatuor » (Auger).

On analysera la structure de la scène en montrant comment, à la brouille, succède la réconciliation.

On étudiera la disposition en chiasme des répliques entre les deux couples qui s'expriment chacun selon le langage propre à leur condition ; ainsi que le renversement des attitudes féminines ; refusant tout d'abord d'écouter Covielle et Cléonte, les deux femmes supplient ceux-ci de leur prêter attention.

On mettra l'accent sur la syntaxe des répliques réduite à son minimum et présentant en certains endroits des phrases nominales.

Deux plus longues répliques – qui prennent dans ce contexte l'allure de tirades – ponctuent à deux reprises la scène : il s'agit successivement de celle de Cléonte et celle de Lucile.

◆ 7 - *La demande en mariage de Cléonte*
   acte III, scène 12   pp. 90-94

Cette scène, importante dans l'économie dramatique de la pièce, marque l'obstacle au mariage de Lucile, préparant le stratagème que Covielle manigancera à la scène suivante pour relancer l'intrigue.

On appréciera ici la maîtrise de Molière à jongler avec les différents styles, en analysant comment l'attitude ridicule de Monsieur Jourdain s'enfermant dans un refus catégorique et les interventions comiques de Nicole brisent la tension qui règne dans cette scène, sans cesse prête à basculer dans le tragique.

On étudiera la composition de la scène bâtie en quatre mouvements : les tirades argumentatives, celle de Cléonte et de Madame Jourdain, alternent avec l'entêtement du bourgeois confronté à sa femme et à sa servante.

La demande en mariage de Cléonte démarre la scène : cette prise de parole directe témoigne de l'assurance et de la sincérité du personnage, dont le tempérament entier et le caractère exclusif – que l'on a également vu à l'œuvre à la scène 9 de l'acte III – traduisent aussi l'ingénuité de son jeune âge. On verra comment sa réponse à Monsieur Jourdain, qui lui demande s'il est de la noblesse, reflète, par la maîtrise de son discours, ses qualités d'honnête homme. Ainsi dans la première partie de sa tirade, il condamne directement ceux qui usurpent leurs origines, pour en venir dans une seconde partie à justifier et à défendre son attachement à sa propre naissance et enfin à déclarer à la fin de son discours : « je ne suis point gentilhomme ».

La tirade de Madame Jourdain relève aussi de la logique démonstrative. Celle-ci y développe, avec bon sens et fermeté, les raisons de son désaccord à marier sa fille à un noble. On analysera le réalisme de son argumentation, en relevant les illustrations concrètes par lesquelles elle justifie les inconvénients d'une telle union, en prévoyant les conséquences. On pourra remarquer l'insertion dans son discours du style direct, faisant allusion aux « qu'en dira-t-on » des gens dont son foyer sera la cible.

La verve franche et sans détour de Madame Jourdain se manifeste avec plus d'ironie encore, quand, cinglante, elle rappelle à son mari ses origines de marchand, visant habilement le point faible du bourgeois.

On verra comment, à travers ces altercations, elle défend le bonheur de sa fille dont son mari n'a aucun souci, manifestant une fois encore sa tyrannie et son entêtement qui accroît son ridicule tout au long de la scène : on verra ainsi comment il surenchérit lorsqu'il est question du titre dont il souhaite affubler sa fille : « je veux avoir un gendre gentilhomme », « je la veux faire marquise », « si vous me mettez en colère je la ferai duchesse ».

8 - *Monsieur Jourdain sacré Mamamouchi*
acte IV, scène 5   pp. 114-118

Dans cette scène de franche gaieté, Monsieur Jourdain entre en folie comme on entre en religion ; la scène présente, sur le mode farcesque, l'anoblissement du bourgeois, après que Covielle a invité Dorante à assister au spectacle ; piquant sa curiosité, autant que celle du public, en ne lui découvrant pas le contenu de son stratagème.

Cinq entrées de ballet successives articulent la cérémonie, ponctuées par les didascalies qui développent le jeu des acteurs :

1° l'intronisation par les chefs musulmans : le « Mufti » et les derviches ; 2° la remise du turban et l'imposition de l'Alcoran (Coran) sur le dos de Monsieur Jourdain ; 3° la remise du sabre ; 4° l'accolade d'investiture qui donne lieu à la bastonnade de tradition farcesque ; 5° la confirmation.

Tout cela à grand renfort de chants et de danses, sur un rythme endiablé.

On analysera les éléments de cette farce en distinguant le comique de geste et le comique de mots mêlant latin, sabir et inventions moliéresques.

On verra comment le mutisme du personnage dans cette scène participe de son ridicule, dévoilant aussi l'attitude solennelle qu'il adopte face aux circonstances. Il entre avec une crédulité affolante dans ce simulacre rituel, incapable de saisir, tant il est aveuglé, l'ironie des paroles qui lui sont adressées !

Le regard des spectateurs et des personnages, qui assistent sur le théâtre à la scène, isole Monsieur Jourdain, victime de son infatuation, dans sa folie.

• LES THÈMES CLÉS

La bourgeoisie

Voici comment, s'appuyant sur *Les Femmes savantes* et *Les Précieuses ridicules*, les plus fréquemment citées pour cerner « le caractère bourgeois du bon sens de Molière », Paul Bénichou analyse le traitement que l'auteur dramatique fait de la bourgeoisie, dont la caricature était de tradition dans la littérature comique : le type du bourgeois était aisément identifiable par ses travers et ses ridicules :

« Si Molière semble y approuver parfois le bon sens bourgeois, c'est d'une façon très particulière, et peu flatteuse pour la bourgeoisie : en effet, les propositions d'un Chrysale ou d'un Gorgibus ne sont tenues pour valables qu'autant qu'elles sont destinées à prêcher à des bourgeoises la modestie, la fidélité à un rang médiocre. C'est le bon sens bourgeois si l'on veut, mais dans la mesure où il acquiesce à l'infériorité du bourgeois » (Paul Bénichou, *Morales du Grand Siècle*, Gallimard, 1948, pp. 174-175).

Voir la préface de la présente édition, pp. 6 et 7.
Voir le dossier historique et littéraire, pp. 150-166.

L'honnête homme

La notion d'honnête homme, du latin « honestus » signifiant honorable, vient du XVIIe siècle. L'honnête homme au XVIIe siècle renvoie à un idéal de comportement social et culturel guidé par la franchise, la lucidité, la simplicité et une capacité à s'adapter à différentes circonstances.

L'ouvrage théorique de l'époque le plus important sur le sujet est *L'Honnête Homme ou l'art de plaire à la cour* de Nicolas Faret, datant de 1630 et qui puise ses sources essentielles dans *Il Cortegiano* de Baldassare Castiglione, de 1528, traduit sous le titre français du *Parfait Courtisan*.

III - POURSUIVRE

• LECTURES CROISÉES

– La satire de la bourgeoisie dans *Les Caractères* de La Bruyère : voir le dossier historique et littéraire, pp. 157-159.
– La vanité dénoncée par La Fontaine comme un fléau dans *Les Fables* (Pocket Classiques, n° 6102) :
  - *La grenouille qui veut se faire aussi grosse que le bœuf*, I, 3, p. 54.
  - *La Fille*, VII, 5, p. 204.
  - *Les Deux Coqs*, VII, 13, p. 216.
– *La Fête du village ou Les Bourgeoises de qualité*, de Florent Dancourt, Espace 34, 1996.

• PISTES DE RECHERCHES

1. Dans l'œuvre de Molière :
– L'analyse comparée du personnage de Monsieur Jourdain, victime de Dorante, et de celui d'Orgon, victime de Tartuffe (Pocket Classiques, n° 6086) : on pourra étudier les rapports dupeur/dupé ainsi que les orientations différentes que donnent aux pièces respectives les personnages de Dorante et d'Orgon.
– L'obsession de la noblesse dans *Monsieur de Pourceaugnac*, *George Dandin*, *L'École des femmes* et *La Comtesse d'Escarbagnas*.

2. Les différentes mise en scène du *Bourgeois gentilhomme* ; voir le dossier historique et littéraire, pp. 176-182.

3. Les origines du ballet au temps de Louis XIV et son évolution ; voir le dossier historique et littéraire, pp. 174-176.

4. La notion de spectacle au XVIIe siècle et ses rapports avec la politique.

5. L'exotisme en littérature à travers les siècles ; pour l'attrait de l'Orient au XVIIe siècle, voir le dossier historique et littéraire, pp. 167-169.

6. Le statut de l'intellectuel et de l'artiste au XVIIe siècle (on pourra notamment étudier ce thème à travers l'œuvre de Molière, en

particulier dans *Les Précieuses ridicules*, *Les Femmes savantes*, *La Critique de l'École des Femmes* et *L'Impromptu de Versailles*).

7. Les relations maître-élève et l'image qu'elles reflètent de la pratique de la pédagogie : on pourra par exemple s'appuyer sur *Gargantua* de Rabelais (Pocket Classiques, n° 6089) ; *Le Bachelier* de J. Vallès (Pocket Classiques, n° 6150) ; *Moderato Cantabile* de M. Duras ; *Le Temps des secrets* de M. Pagnol ; *La Leçon* de E. Ionesco ; ou encore sur les dialogues que Queneau a écrits pour *Monsieur Ripois* de René Clément (1954) où l'on voit M. Ripois, sous le nom de M. Cadet-Chenonceaux, enseigner le français en cours particulier.

• PARCOURS CRITIQUE

« Assurément Molière chantait mal ; mais il tirait parti de cette imperfection comme des autres pour obtenir un effet grotesque.

Il ne devait pas danser mieux, et pourtant il dansait. [...]

Danseur, chanteur, improvisateur, le comédien tenait des farceurs dont il avait suivi les leçons, non seulement leur agilité de corps et leur vertu comique, mais leur variété d'aptitudes et leur fécondité d'invention. Car tous ces talents concouraient au même but : plaire, plaire en faisant rire » (René Bray, *Molière homme de théâtre*, Mercure de France, 1954, pp. 161-162).

« Débarrassé du réalisme il ne songe qu'à la vérité. Chaque scène du *Bourgeois* est une démonstration, merveilleusement juste et gaie, d'un trait de caractère ou de sentiment, réduit aux lignes essentielles. Et ces lignes sont rendues sensibles par des jeux de théâtre qui annoncent les figures du ballet. La transparence est extraordinaire : le sens nous parvient par les sens directement, sans discours » (Ramón Fernandez, *Molière ou l'essence du génie comique*, Grasset, 1979, p. 220).

« Dans la tradition comique antérieure, en effet, si le rire sanctionnait les travers, c'est la vraisemblance qui régissait les caractères et les situations. Or voici que chez Molière, défauts, caractères et situations relevant désormais au même titre du ridicule, le rire se trouve constituer une optique globale sur la vie humaine. Chez lui, "comique" signifie, comme nous l'entendons aujourd'hui, "qui donne à rire", d'un rire qui ne se censure pas en s'affadissant en gaieté plaisante, d'un rire qui occupe toute la sphère dramatique. [...] » (Patrick Dandrey, *Molière ou l'esthétique du ridicule*, Klincksieck, 1992, p. 89).

DOSSIER HISTORIQUE ET LITTÉRAIRE

REPÈRES BIOGRAPHIQUES

MOLIÈRE DRAMATURGE, COMÉDIEN, METTEUR EN SCÈNE

1622   15 janvier, naissance à Paris de Jean-Baptiste Poquelin, fils aîné de Jean Poquelin et de Marie Cressé. Il perd sa mère à l'âge de dix ans. Jean-Baptiste vit dans le quartier le plus vivant de Paris, entre le pilori des Halles, l'hôtel de Rambouillet et le Pont-Neuf.

1632   Il fait ses études secondaires au collège de Clermont (l'actuel lycée Louis-le-Grand) tenu par des jésuites. Ses camarades sont Bernier, le grand voyageur, Chapelle, l'ivrogne, et Cyrano de Bergerac, tous futurs esprits « libertins ». Son grand-père, Louis Cressé, l'emmène souvent à l'hôtel de Bourgogne voir jouer les farces par les comédiens italiens et les tragédies par les « Grands Comédiens ».

1636   Il étudie le droit à Orléans, obtient sa licence et se prépare à devenir avocat. Son père, « tapissier ordinaire de la maison du roi », lui assure la survivance de cette charge en 1637.

1643   À vingt et un ans, il y renonce et quitte sa bourgeoisie d'origine pour s'engager dans la troupe de l'Illustre Théâtre qui rêve de concurrencer l'hôtel de Bourgogne. Il se lie avec une comédienne, Madeleine Béjart, née en 1618.
     Corneille devient célèbre grâce à la querelle du *Cid*.

1638   Naissance de Louis XIV.
     Descartes : *Discours de la méthode*.

1642   Mort de Richelieu, de Louis XIII.
     Descartes : *Méditations métaphysiques*.

1644   26 juin, il adopte le pseudonyme de « Molière » et prend vraisemblablement la direction de l'Illustre Théâtre.

1645   Il s'intègre à la compagnie de Dufresne, et vit treize années de pérégrinations en province. La troupe trouve appui auprès du duc d'Épernon, puis du prince de Conti, gouverneur du Languedoc.

1655   Il crée *L'Étourdi* à Lyon.

1656   *Le Dépit amoureux*, inspiré par la commedia dell'arte. L'expérience provinciale, en dépit des difficultés quotidiennes affrontées, confirme une vocation irrésistible.

1658 De retour à Paris, Molière fait agréer ses services à Monsieur, frère du roi. Il s'installe à la fin de 1658, avec dix acteurs et actrices, au Petit-Bourbon, salle offerte par le roi. Le 24 octobre, il joue devant le roi.

1659 La pièce *Les Précieuses ridicules* inaugure la série des chefs-d'œuvre de Molière, qui s'affirme comme directeur de troupe.

1660 Le 28 mai, il crée avec succès *Sganarelle ou le Cocu imaginaire*, pièce en un acte, en vers héroïco-burlesques, construite sur une intrigue à quiproquos. Sous un maquillage et un costume de fantaisie, Molière crée un personnage pleutre et beau parleur, Sganarelle, que l'on retrouvera ensuite dans plusieurs de ses comédies. La salle du Petit-Bourbon est démolie. La troupe de Molière se transporte au Palais-Royal.
Mort de Mazarin ; mariage de Louis XIV.
Boileau : *Satire I*.

1661 Il s'essaie au genre héroïque espagnol avec *Dom Garcie de Navarre* ; la pièce n'est pas éditée. Ultérieurement, Molière en utilisera des fragments dans *Le Misanthrope* et *Amphitryon*. *L'École des maris*, *Les Fâcheux* sont joués au Palais-Royal. Le roi est enchanté.

1662 Le 20 février, Molière, à quarante ans, épouse Armande Béjart, qui est probablement la sœur de Madeleine Béjart. La saison est marquée par la création de *L'École des femmes* qui marque un tournant dans son œuvre et emporte un très vif succès. Obligé cependant de répondre à ses détracteurs, Molière répond par une pièce en un acte, *La Critique de l'École des femmes*, en réponse à la querelle de *L'École des femmes* qui précise le sens qu'il entend donner à la comédie : « faire rire les honnêtes gens ». Dans *L'Impromptu de Versailles*, pièce en un acte, Molière se représente en train de faire répéter sa troupe.

1663 Mort de Pascal.

1664 *Le Mariage forcé*. Molière a un fils le 19 janvier, dont le parrain est Louis XIV, et qui meurt en novembre.
Au mois de mai, à Versailles, ont lieu *Les Plaisirs de l'Île enchantée*. Molière participe aux défilés et aux collations. Le 12 mai, il représente devant le roi les trois premiers actes de *Tartuffe*. Il s'attire de très violentes attaques en stigmatisant l'imposture et l'hypocrisie religieuses. En effet, Tartuffe ressemble beaucoup à un agent d'une société secrète à caractère politico-religieux, la compagnie du Saint-Sacrement qui, sans être approuvée par le roi, est néanmoins soutenue par la reine mère. Ses ennemis, groupés en cabale, empêchent la poursuite de *Tartuffe*. En attendant, Molière joue *Dom Juan* (1665), pièce dans laquelle il analyse les liens subtils du libertinage et de l'hypocrisie.

1666 *Le Misanthrope* vise une fois encore les mœurs du siècle, dont Alceste, à la fois grotesque et admirable, dénonce le raffinement

hypocrite et les compromissions, au nom de son idéal de sincérité. La pièce, sans être condamnée, est néanmoins boudée par le public. En septembre, Molière joue *L'Amour médecin*.
Malgré les soucis domestiques, une santé précaire et les exigences du roi, Molière continue à créer.
Le Médecin malgré lui.

1667 Molière n'écrit que deux divertissements : *Mélicerte* et *Le Sicilien*.

1668 *Amphitryon, George Dandin, L'Avare* qui est un échec. Molière reste trois ans sans écrire de pièce en cinq actes.

1669 Le 5 février, *Tartuffe* est enfin autorisé dans sa nouvelle version.

1670 Comédien en titre du roi depuis 1665, Molière est un véritable « intendant des spectacles royaux ». Il écrit des pièces pour la cour, *Les Amants magnifiques, Monsieur de Pourceaugnac, Psyché* (avec Lully et Quinault, une comédie-ballet aux intermèdes chantés et dansés).

1671 Il revient à la farce avec *Les Fourberies de Scapin* et *La Comtesse d'Escarbagnas*, à la grande comédie avec *Les Femmes savantes*.

1672 Molière a cinquante ans.
Le 16 février, Madeleine Béjart meurt.

1673 Dans sa dernière pièce, *Le Malade imaginaire* (comédie-ballet), Molière ridiculise les médecins et leur suffisance. Phtisique, il succombe à la tâche et meurt le 17 février à l'issue de la quatrième représentation. Armande aura les plus grandes difficultés à obtenir des funérailles décentes, l'Église interdisant aux comédiens « non repentis » d'être enterrés en terre chrétienne.
Sept ans plus tard, la troupe de Molière, qui avait fusionné avec celles de l'hôtel de Bourgogne et du Marais, donnera naissance à la Comédie-Française.

REPÈRES CHRONOLOGIQUES

LE BOURGEOIS GENTILHOMME :
DIX ANNÉES DE L'EUROPE CLASSIQUE
(1665-1675)

1665	Colbert au contrôle général des Finances.
1665-1667	Deuxième guerre anglo-hollandaise.
1665-1666	La grande peste de Londres.
	Septembre : grands jours d'Auvergne.
	Grimaldi découvre la diffraction de la lumière ; Hooke, la micrographie.
	Le Bernin à Paris. Rejet d'un Louvre baroque.
	Premières infiltrations françaises à Saint-Domingue.
1666	Colbert obtient la réduction des fêtes chômées à quatre-vingt-douze par an.
	Nouvelles ordonnances d'urbanisme prohibant toute irrégularité sur les façades.
	Louis XIV interdit les remontrances au Parlement.
	2-6 septembre : incendie de Londres.
	L'Académie des sciences de Paris.
	Huygens, point de départ d'une nouvelle physique du choc.
1666-1670	Claude Perrault : la colonnade du Louvre.
1667	Institution de la police.
	Aggravation des services douaniers.
	La livre tournois : unité officielle de la monnaie.
	Guerre de Dévolution. Démantèlement des Pays-Bas espagnols.
1667-1671	Soulèvement (sud Russie) de Stenka Razine.
	Observatoire de Paris.
	Stenon formule la théorie de l'ovisme.
	Racine : *Andromaque.*
	Milton : *Le Paradis perdu.*
1668	Louvois secrétaire d'État à la Guerre.
	Débuts de l'inscription maritime.
	Réorganisation des services postaux.
	Triple Alliance : premier accord des nations protestantes contre la France.
	2 mai : traité d'Aix-la-Chapelle. Louvois à la Guerre.
	F. Redi : micrographie des insectes ; microscope oculaire à deux lentilles plan convexes.
	Naissance de François Couperin.
1669	Édits permettant le triage (appropriation par le seigneur d'un tiers des communaux).
	Constitution de la Compagnie du Nord.
	Création d'un corps d'inspecteurs régionaux du commerce et des manufactures.
	Ordonnance sur les Eaux et Forêts.

Ordonnance générale de la draperie.
Application de plus en plus limitative de l'édit de Nantes.
Prise de Candie par les Turcs. Vénitiens chassés de Crète.
Malbighi : étude du bombyx.
Perrin fonde à Paris l'Académie d'Opéra.

1670 Première tentative de concentration dans l'industrie sidérurgique.
Constitution de la Compagnie du Levant.
Molière : *Le Bourgeois gentilhomme.*
Publication des *Pensées* de Pascal.
Construction de l'hôtel des Invalides.

1671 Réorganisation des ateliers du Louvre.
Développement de la colonisation au Canada.
Instructions générales pour la teinture des laines.
Création du port de Dunkerque.
Répression du soulèvement en Hongrie.
En Italie, l'Église autorise les femmes à faire du théâtre.
Nicole : *Essais de morale.*
Jacques Rohault : *Traité de physique* ; point de départ d'une
scolastique cartésienne.
Claude Perrault (1613-1688) : *Anatomie animale.*
Dissolution de la Compagnie hollandaise des Indes occidentales.

1672 Construction des arcs de triomphe des portes Saint-Denis et Saint-
Martin à Paris.
Procès de 34 sorciers de Carentan.
Louis XIV s'installe à Versailles.
Guerre de Hollande.

1673 Affaire de la Régale.
Ordonnance relative au négoce.
Édit généralisant les maîtrises et jurandes.
Abandon de la tolérance : Bill of Test.
Quinault et Lully : *Cadmus et Hermione.*
Molière : *Le Malade imaginaire.*
Claude Perrault : *Les Dix Livres d'architecture de Vitruve.*

1674 Fondation de la caisse des emprunts.
La campagne d'Alsace.
Soulèvement de Messine contre l'autorité espagnole.
Malebranche : *De la recherche de la vérité.*
Boileau : *Art poétique.*
Les Français à Pondichéry.

1675 27 juin, les Prussiens vainqueurs des Suédois à Fehrbellin.
Mort de Turenne.
Tableau d'avancement des officiers de France.
Découverte à peu près simultanée par Newton et Leibniz du calcul
infinitésimal.
Römer : mesure de la vitesse de la lumière.
Newton formule la théorie lumière et couleurs.

LE POUVOIR DE LA BOURGEOISIE

LE CONTEXTE SOCIAL

● *Texte n° 1*

LE DÉCOR ÉCONOMIQUE ET SOCIAL

Comprise, encouragée, honorée, la bourgeoisie de l'artisanat et du commerce s'enrichit, surtout dans les grandes villes, pense beaucoup à l'argent, emprunte volontiers à la robe et à la noblesse pour accroître son équipement et ses stocks, s'adresse aux traitants en leur donnant des garanties et se fait elle-même prêteuse quand il n'y a pas trop de risque à courir ou qu'il y a quelque faveur décorative à décrocher.

Écoutons Anselme dans *L'Étourdi* :

> Par mon chef, c'est un siècle étrange que le nôtre !
> J'en suis bien confus. Jamais tant d'amour pour le bien,
> Et jamais tant de peine à retirer le sien.
> Les dettes aujourd'hui, quelque soin qu'on emploie,
> Sont comme les enfants que l'on conçoit en joie,
> Et dont avecque peine on fait l'accouchement.
> L'argent dans une bourse entre agréablement ;
> Mais le terme venu que nous devons le rendre,
> C'est lors que les douleurs commencent à nous prendre.
> Baste ! ce n'est pas peu que deux mille francs dus
> Depuis deux ans entiers, me soient enfin rendus ;
> Encore est-ce un bonheur.

Cette bourgeoisie est ambitieuse. Souvent, parvenu à l'aisance, le négociant se retire, vendant l'affaire à son premier commis ou la cédant à l'un de ses fils ou gendres. Il a, pour ses enfants, l'espoir d'éclatantes réussites : pénétration dans la noblesse de robe, achat d'une charge, beau mariage. Le chef de famille entend être respecté. Il tient son fils en tutelle par la menace de le déshériter :

> Ces ardeurs de jeunesse et ces emportements
> Nous font trouver d'abord quelques nuits agréables ;
> Mais ces félicités ne sont guère durables,
> Et, notre passion alentissant son cours,
> Après ces bonnes nuits donnent de mauvais jours :
> De là viennent les soins, les soucis, les misères,
> Les fils déshérités par le courroux des pères [1].

Le plus grand soin est porté à l'éducation des jeunes gens car la bourgeoisie montante souffre de sa relative ignorance :

> Mon père, quoiqu'il eût la tête des meilleures,
> Ne m'a jamais rien fait apprendre que mes heures,
> Qui, depuis cinquante ans dites journellement,
> Ne sont encor pour moi que du haut allemand.

---

1. *L'Étourdi*, acte IV, scène 4, Anselme.

Laissez donc en repos votre science auguste,
Et que votre langage à mon faible s'ajuste [1].

La transition ne se fait pas sans heurt. S'il convient que les filles soient
instruites et capables de contracter d'heureuses alliances, il faut les mettre
en garde contre les engouements pernicieux et les prétentions abusives.
Il y a plus d'un Gorgibus pour admonester ses héritières et pour s'entendre
reprocher :

Ah ! mon père, ce que vous dites là est du dernier bourgeois.
Cela me fait honte de vous ouïr parler de la sorte ; vous devriez
un peu vous faire apprendre le bel air des choses [2].

Jaloux de son autorité et de son honneur, pas encore familiarisé avec
la jeune société des fils de grands seigneurs, de prébendés, d'hommes
d'affaires, qui constitue une partie importante de sa clientèle, le bourgeois cherche tout à la fois à affirmer sa dignité propre et à adapter sa
personne et sa famille aux mœurs des classes supérieures : le Sganarelle
du *Cocu imaginaire* en est un truculent exemple.

Progressivement, la bourgeoisie prend conscience de sa force. À partir
de 1630, et malgré le souci d'économie du roi [3], la guerre eut des conséquences fiscales particulièrement lourdes : on créa de nouveaux offices [4],
on augmenta les impôts et les emprunts aux traitants. Bien souvent, ce
furent les métiers qui prirent la tête des émeutes « fiscales » : imprimeurs
et soyeux de Lyon en 1633 et 1637, conduisant la foule lors de la mise
à sac des bureaux de la douane ; savetiers, cordonniers, papetiers de
Rouen montant en 1634 à l'assaut du bureau des Fermes ; un horloger
rouennais dirigeant drapiers et teinturiers lors du pillage des bureaux des
trésoriers et du receveur des gabelles en 1639 ; tanneurs du Poitou, potiers
de Limoges s'associant en 1636 à l'insurrection des Croquants, tonneliers
et lainiers de villages normands en 1639 à celle des Va-nu-pieds.

Plus mystérieux, mais aussi plus profondément populaire, est le soulèvement parisien de 1633 dit « des Compagnons ». Le bruit s'est répandu
que le chômage est artificiellement suscité par le gouvernement pour
contraindre les ouvriers à s'enrôler dans l'armée [5]. Les ouvriers des
manufactures exigent en vain la reprise du travail, assiègent des entreprises, en occupent, ici brisent des métiers, et là les remettent en marche.

1. *Le Dépit amoureux*, acte II, scène 7, Albert au précepteur Métaphraste.
2. *Les Précieuses ridicules*, scène 5, Madelon.
3. Il réduisit de 40 % les dépenses de sa « maison » et les pensions, et, selon
les ans, de 70 % à 95 % sa bourse personnelle, sa « poche ».
4. Le système consistait à créer des postes de contrôle ou d'enregistrement vendus
à des hommes qui, par cette acquisition, devenaient « officiers ». Pour éviter des
vexations, les corporations rachetaient parfois les offices sans désigner de détenteur.
Louis XIII ne recourut à cet expédient que dans les circonstances les plus critiques
et il essaya d'en finir avec lui, mais Mazarin le reprit.
5. Le coût de la vie a baissé depuis un an mais on redoute à tort une nouvelle
hausse immédiate, ce qui déclenche la crise des manufactures. L'impopularité du
Cardinal est en outre renforcée par les calomnies des Gallicans et par la campagne
contre les tractations avec les seigneurs rhénans.

Les gardes du Cardinal sont hués ; les mousquetaires interviennent. L'ordre est rétabli sans trop de difficulté à Paris, alors que la répression par l'armée sera terrible pour les insurrections provinciales, surtout à Lyon, Rouen et Caen. Les méthodes des recruteurs furent provisoirement amendées. [...]

À la mort du roi, les besoins de l'armée et la rébellion des grands seigneurs aggravèrent la crise financière. Résolus à une paix même indigne plutôt qu'à participer aux sacrifices que devait faire toute la nation, les Parlementaires excitèrent l'opinion publique. À Bordeaux, les grands seigneurs et armateurs formèrent une association bourgeoise à apparence démocratique, l'Ormée, qui engagea des pourparlers avec l'Angleterre et l'Espagne, résolue à maintenir les courants commerciaux au prix d'une trahison et d'une sécession [1] : la majorité des artisans et des ouvriers refusa de s'associer au mouvement et la cité, menacée, capitula. Mais d'autres villes, d'autres provinces, sous l'impulsion des Parlements, s'étaient engagées sur la voie du séparatisme, cependant que Paris s'était soulevé contre « le Mazarin » et ses fiscaux, prenant parti pour les Parlementaires, exigeant et obtenant la libération du Conseiller Broussel sacré « père du peuple ». C'est la Fronde, et les métiers, quoique divisés, constituent des bannières plus ou moins bien armées, se donnent des lieutenants et des sergents. Fronde parlementaire, puis Fronde des Princes ; crise industrielle et artisanale. Le peuple est le premier à vouloir la fin de la guerre civile et adopte le plus souvent, sauf dans quelques grandes villes et à la campagne, le parti du jeune roi Louis XIV contre les Grands. Les traitants, les Parlementaires, la haute bourgeoisie, prennent peur : deux exils successifs de Mazarin calment l'opinion, donnent un prétexte à la trêve puis au retour à l'ordre. Le surintendant Fouquet aura le bon esprit de se soucier immédiatement des manufactures et de leur remise au travail. La grande querelle du Jansénisme n'empêchera pas les métiers de tourner. Des corps de métiers font des dons au roi pour l'entretien des armées, et les enrôlements diminuent le fardeau du chômage. Les municipalités des villes marchandes, les métiers jurés de presque toutes les provinces, au sein des ligues charitables ou directement, prennent une grande part à la lutte contre les épidémies, allant jusqu'à organiser l'assistance aux campagnes voisines. L'Espagne vaincue, l'Europe pacifiée, Mazarin mourra en chef d'État. La France victorieuse, mais en pleine crise économique, a gardé de la Fronde un souvenir horrifié et cet état d'esprit facilitera l'acceptation de l'autorité personnelle du jeune monarque.

Certes, pendant toute l'affaire, les Parlementaires avaient eu leurs heures de popularité lorsqu'ils étaient parvenus à persuader la bourgeoisie négociante et d'autres couches sociales que leurs intérêts étaient communs. Ce ne fut là qu'une période exceptionnelle. En règle générale, les gens de justice, juges comme défenseurs, étaient assez redoutés et volontiers dénigrés : leur jargon, leur prétention, leur vénalité, leur acharnement en étaient la cause.

---

1. *Mémoires de D'Artagnan* (rédigés par Courtils de Sandraz), édités à Cologne par P. Marteau en 1700, t. II, p. 193.

Je veux adroitement, sur un soupçon frivole,
Faire pour quelques jours emprisonner ce drôle.
Je sais des officiers de justice altérés,
Qui sont pour de tels coups de vrais délibérés :
Dessus l'avide espoir de quelque paraguante,
Il n'est rien que leur art aveuglément ne tente ;
Et du plus innocent, toujours à leur profit,
La bourse est criminelle, et paye son délit [1].

Au reste, que n'était-il pas permis de dire des robins, quand le roi n'hésitait pas à exiler les plus turbulents et les plus illustres d'entre eux [2] ni à tenir au Parlement de Paris le plus dur langage : « Vous n'êtes établis que pour juger entre Maître Pierre et Maître Jean... Si vous continuez vos entreprises, je vous rognerai les ongles de si près qu'il vous en cuira [3] » ?

Nobles, riches robins et riches bourgeois font construire d'assez nombreux hôtels dans les villes et des châteaux ou des manoirs, dans lesquels apparaît quelque souci de confort [4]. Les aménagements ordonnés dans les grandes cités par les pouvoirs publics sont essentiellement utilitaires [5], cependant que le style académique régit l'art officiel [6]. La noblesse d'épée est obligée, pour conserver ses somptueuses demeures et son train de vie, de s'allier aux parvenus de la finance et du commerce. Incapable de gérer ses terres, les cédant ou les louant volontiers, sollicitant toujours des pensions d'un monarque qui se méfie d'elle, elle se résigne à se tourner vers l'armée, et les jeunes nobles qui ne décrochent pas de hauts grades sont tout heureux d'entrer dans des « corps d'élite » comme les mousquetaires. Cette relative déchéance de la noblesse [7] est fort inégale : d'aucuns accèdent à de hauts emplois quand d'autres doivent mener auprès des plus favorisés une vie de courtisan et quelquefois, sous une appellation qui sauve la face, une vie de domestique. De là vient peut-être, pour une part, la plus grande considération accordée aux serviteurs. Il est de bon ton d'en avoir et d'en traiter quelques-uns en confidents.

Ce monde des serviteurs est mêlé et s'acoquine parfois avec les filous de toutes sortes qui sont nombreux dans les villes. Gustave Lanson

---

1. *L'Étourdi*, acte IV, scène 9, Mascarille.
2. Après la Journée des Dupes, et quand le Parlement de Paris s'avisa de prendre le parti de Gaston d'Orléans.
3. Lit de justice du 21 février 1641.
4. La disposition des pièces en appartement se fait plus précise ; les tapisseries de séparation sont souvent retirées et clouées aux murs ou laissées en doublure de portes de bois. Progrès de la clarté. Importance du cabinet-salon et de la bibliothèque.
5. Quais, ponts et aménagements de Paris : adductions d'eau soignées et pavage des rues ; petites places et squares à arbres. Le Prévôt encourage la construction suburbaine en matériaux solides et fait démolir les îlots de bois en ruine : les incendies sont moins nombreux à partir de 1640.
6. Sur l'opinion qu'a Molière de l'art de son temps, voir Salomon Reinach, *Apollo*, 1938, vingt-troisième leçon.
7. Cf. J.-H. Mariéjol, *Histoire de France* d'Ernest Lavisse, t. VI, 2e partie, ch. X.

constate que Molière a particulièrement bien vu ces couches sociales :
« Un monde louche d'intrigants, entremetteuses, spadassins, se laisse
deviner ; c'est de là que sortent et là qu'ont leurs attaches les valets impudents et fripons. Le peuple honnête, rude en ses manières, cru en son
langage, solidement loyal et bon, est représenté par les servantes [1]. » [...]

Maurice Bouvier-Ajam, *Europe, Tout sur Molière*,
1961, pp. 22-27.

• *Texte n° 2*

LA BOURGEOISIE MONTANTE

[...] La bourgeoisie montante, et intégrée, n'a pas encore ce que nous
appellerions une conscience de classe : elle emprunte à l'aristocratie sa
conception du bonheur.

À l'instar de M. Jourdain, nombre de bourgeois songent d'abord à
jouer aux grands seigneurs. Leurs femmes aussi, qui veulent vivre autrement que leurs aïeules. Déjà, dans *L'École des femmes*, Molière s'était
moqué de Monsieur de la Souche et de Monsieur de l'Isle. Et le public
reconnaissait là l'histoire d'authentiques roturiers qui, par un heureux
mélange du titre acheté, du nom emprunté et du patronyme, étaient devenus, par exemple, marquis de Dreux-Brézé.

Entrevue dans *George Dandin*, la lutte s'accuse, dans *Le Bourgeois
gentilhomme*, entre les classes sociales, dont le mélange, commencé depuis
longtemps, s'accélère avec l'appauvrissement de la noblesse, en contrepoint de l'ambition, de la richesse croissantes de la bourgeoisie. Nous
sommes en 1670.

À cette élévation nobiliaire, l'intérêt, autant que la vanité, trouvait
son compte : cela procurait à ces Jourdains et autres châtelains en *ac*
franchises et privilèges, en particulier — déjà ! — l'exemption d'impôt.

Mais c'est dans *Les Femmes savantes* — l'avant-dernière comédie —
que s'exprime surtout le tableau contrasté de la société bourgeoise aux
environs de 1670 [2].

Au sein de cette famille coexistent deux styles contradictoires de vie
et de pensée, dont l'opposition ici se marque entre le désir de Chrysale
et la réalité [3].

---

1. *Histoire illustrée de la littérature française*, t. I. Le Mascarille de *L'Étourdi*
et celui du *Dépit* sont des exemples du valet retors et aussi peu dénué de scrupules
qu'avide d'argent. Il sait aussi prendre le risque des coups de bâton. Les contrastes
entre les types de serviteurs (Jodelet et Mascarille caricaturant les petits marquis,
Marotte fruste et sensé, Almanzor terne et discipliné, les porteurs de chaise brutaux
et intéressés) sont très marqués dans *Les Précieuses ridicules*.
2. Dans les conditions du compromis politique auquel les classes en présence,
noblesse et bourgeoisie, sont parvenues : une sorte d'équilibre instable qu'elles
doivent, avec des motifs opposés, et tant bien que mal, maintenir pour l'instant.
3. Voir : *Les Femmes savantes*. Éd. du tricentenaire.

La maison *telle que la voudrait Chrysale* est celle d'un bourgeois conservateur, d'esprit terre à terre, ennemi de la nouveauté, mettant *la matière* au-dessus de *l'esprit*, et où la femme ne s'occupe que *de faire aller son ménage*. Il représente la bourgeoisie rétrograde, tout imprégnée encore de préjugés médiévaux, confite dans son bien-être, aimant ses aises et près de ses sous.

La maison de Chrysale *telle qu'elle est*, avec ses Philaminte et ses Armande, éprises de belles-lettres et de connaissances savantes, nous présente une société bourgeoise devenue assez courante de 1660 à 1680 : reine du salon, la femme ne peut plus accepter la sujétion ancienne, et, pour tenir son rang, il lui faut s'instruire. Le *féminisme* est dans le vent, qui se heurte aux idées reçues.

Ainsi s'exprime la réalité d'un âpre conflit qui n'est pas seulement familial.

En même temps, les acteurs de cette *comédie humaine*, fort éloignés d'êtres d'exception tels qu'Harpagon, Tartuffe ou Dom Juan, sont des personnages mitoyens, ni franchement antipathiques, sauf le fripon Trissotin, ni franchement sympathiques, sauf Henriette, le véritable *honnête homme* de la compagnie.

Tout cela fleure déjà son théâtre du XVIIIe siècle. Comme dans toutes les œuvres des dernières années, mais avec plus de force encore, se précisent ici le relief, la couleur, la vivacité dans l'image des défauts et des qualités spécifiques de Philaminte et de Chrysale, en tant qu'échantillons d'une société. Jamais la comédie de caractères chez Molière ne s'est aussi intimement fondue à la comédie de mœurs.

Dès lors, cette œuvre glisse vers une peinture sociale dont le réalisme et l'âpreté sont tempérés, toutefois, par une espèce de compromis humain. Comme si, entre le pour et le contre, parfaitement lucide à l'égard des ombres de sa classe, qu'il ne se prive pas de railler, mais dont il ne rougit pas à cause de ses lumières, Poquelin pressentait les possibilités de progrès qu'elle porte en elle, à cette heure de l'Histoire, dans une société qui bouge.

Mais quelle comédie ?

Certes, la comédie de mœurs où Molière s'aventure ne se réalisera qu'après lui et il faudra attendre Dancourt avec, notamment, *Le Chevalier à la mode, Les Bourgeoises de qualité, Les Bourgeoises à la mode*, pour trouver un théâtre qui réclame des réformes non seulement dans l'individu mais dans la société.

Molière n'en est pas là, qui se borne à rechercher un équilibre et un art de vivre dans la société de son temps, sans la mettre directement en question : il ne songe pas à partir en guerre contre un système social dont l'emprise est très forte, contre un régime dans lequel il est bien installé, protégé par le roi, tout en mesurant la fragilité de cette faveur.

Aussi bien n'en est-il pas moins un rebelle dans son époque. Il conteste. À sa manière, et dans les limites de la liberté qui lui est octroyée. Du moins ne se borne-t-il pas à conjuguer le verbe intransitivement. L'objet de sa contestation, c'est le pouvoir parallèle, dont l'affaire Tartuffe lui a révélé toute la malfaisance, la caste des gens en place, dévots et gens de justice, maîtres d'un monarque qui se voulait absolu.

Comme si, derrière la façade, il percevait *la sordide vérité du règne.*

Au sein d'une société qui ne laisse place à aucune action concertée, Molière joue, en quelque sorte, le rôle d'un journaliste plus ou moins officieux qui, prenant part à beaucoup de polémiques, sait aussi garder ses distances, et son jugement. Peut-on lui reprocher de n'être point passé de la satire morale à l'opposition politique ? [...]

Jean Cazalbou et Denise Sévely,
Europe, Tout sur Molière, pp. 88-89.

● *Texte n° 3*

LA BOURGEOISIE MARCHANDE

En une époque où les princes continuent à croire aux guerres de conquêtes et aux querelles dynastiques, où les nobles mettent leur ambition à vivre à la cour et parfois encore à mourir sur le champ de bataille, où toute une fraction de la même bourgeoisie s'est donné pour modèle la noblesse traditionnelle, vivant de ses rentes et achetant des domaines, un certain nombre de bourgeois mettent leur confiance dans le travail productif et se donnent comme but d'augmenter leur richesse en la faisant fructifier dans les entreprises industrielles ou les affaires commerciales. Et tandis qu'un palmarès, tantôt glorieux et tantôt désastreux, pourra être dressé, à propos des guerres de succession et des pactes de familles, cette fraction de la bourgeoisie va contribuer à rendre plus évident le rôle des facteurs économiques dans la vie mondiale.

C'est d'ailleurs dans le cadre de l'État monarchique que cette classe, l'élément le plus dynamique de la bourgeoisie, prend conscience d'elle-même, et c'est aussi dans cet État centralisé, tel qu'il se présente au XVIIᵉ siècle, qu'elle trouve son meilleur point d'appui, voire le ressort, le stimulant, dont elle a encore besoin. C'est dans les rouages mêmes de la monarchie absolue que s'élabore cette doctrine du mercantilisme, première forme systématique et presque philosophique des principes dont s'inspire la bourgeoisie du commerce et des manufactures ; et c'est là qu'un de ses plus parfaits représentants, Colbert, les mettra en application.

Non qu'il ait été le premier à énoncer de façon cohérente les théories qui sont à la base du mercantilisme ; on retrouverait facilement leur origine à des époques plus anciennes et n'importe quel commerçant de Lucques ou de Venise les eût inventées au XIVᵉ siècle si l'époque y avait été plus favorable. En tout cas, dans les ouvrages du Dauphinois Barthélemy de Laffemas, on les trouve déjà parfaitement esquissées. La doctrine se réduit à quelques données claires comme une équation : un État n'est fort que par sa richesse, toute richesse vient du travail et s'augmente par le commerce ; l'État sera donc d'autant plus fort qu'il achètera moins au-dehors et vendra davantage, en exploitant méthodiquement ses ressources propres.

Il serait facile, et certains historiens l'ont fait, de recueillir un véritable manuel des maximes qui illustrent ces axiomes, à travers les écrits ou les paroles des principaux théoriciens et hommes d'État pendant le cours du XVIIᵉ siècle. C'est Richelieu posant en principe que « les souverains ne sont vraiment puissants que par l'abondance des richesses », celles-ci provenant surtout des fabriques et du commerce. Et encore, comme il est dit dans ce testament politique qui lui est attribué : « C'est un dire commun, mais véritable, qu'ainsi que les États augmentent souvent leur étendue par la guerre, ils s'enrichissent ordinairement dans la paix par le commerce » ; aussi faut-il, suivant la mention que le cardinal inscrivait de sa main en marge d'un mémoire : « Donner prix au trafic et rang aux marchands. » On trouverait aussi facilement les échos de la doctrine dans les écrits d'un Jean Bodin, d'un Laffemas déjà cité, dont le fils précisément fut un peu l'exécuteur des hautes œuvres de Richelieu, dans ceux d'Antoine de Montchrestien dont l'*Économie politique*, datant de 1616, souligne qu'il est nécessaire que le pouvoir royal intervienne pour réglementer et animer la vie économique, assurer la discipline du travail, en un mot faire la prospérité de cette vaste fabrique qu'est le royaume et qui doit se doubler, vis-à-vis de l'étranger, d'une vaste boutique. Tous ces écrits dégagent fortement le caractère que prendra la monarchie de l'Ancien Régime en soulignant pour nous la différence fondamentale qu'elle présente avec la royauté féodale dans laquelle le rôle dévolu au roi consiste à veiller au maintien de la justice et au respect des coutumes.

Régine Pernoud, *Histoire de la bourgeoisie en France*,
Éd. du Seuil, 1981, pp. 98-99.

LES BOURGEOIS À TRAVERS LES TEXTES

• *Texte n° 4*

LA BRUYÈRE : *LES CARACTÈRES*

La Bruyère raille sans ménagement les Crispins qui mènent somptueux équipages, et les Sannions qui, pour mieux faire oublier leurs ancêtres tanneurs, étalent indiscrètement des blasons de fantaisie. D'autres enrichis, sans doute à court d'imagination, s'inspirent naïvement, dans le choix de leurs armoiries, de l'enseigne de la boutique que tenaient leurs parents ou grands-parents.

Sylvain, de ses deniers, a acquis de la naissance et un autre nom ; il est seigneur de la paroisse où ses aïeuls payaient la taille ; il n'aurait pu autrefois entrer page chez *Cléobule*, et il est son gendre.

Les Caractères, VI, 19.

9 — Les *Crispins* se cotisent et rassemblent dans leur famille jusqu'à six chevaux pour allonger un équipage, qui, avec un essaim de gens de

livrées, où ils ont fourni chacun leur part, les fait triompher au cours ou à Vincennes, et aller de pair avec les nouvelles mariées, avec *Jason*, qui se ruine, et avec *Thrason*, qui veut se marier, et qui a consigné.

10 — J'entends dire des *Sannions* : « Même nom, mêmes armes ; la branche aînée, la branche cadette, les cadets de la seconde branche ; ceux-là portent les armes pleines, ceux-ci brisent d'un lambel, et les autres d'une bordure dentelée. » Ils ont avec les Bourbons, sur une même couleur, un même métal ; ils portent, comme eux, deux et une : ce ne sont pas des fleurs de lis, mais ils s'en consolent ; peut-être dans leur cœur trouvent-ils leurs pièces aussi honorables, et ils les ont communes avec de grands seigneurs qui en sont contents : on les voit sur les litres et sur les vitrages, sur la porte de leur château, sur le pilier de leur haute-justice, où ils viennent de faire pendre un homme qui méritait le bannissement ; elles s'offrent aux yeux de toutes parts, elles sont sur les meubles et sur les serrures, elles sont semées sur les carrosses ; leurs livrées ne déshonorent point leurs armoiries. Je dirais volontiers aux Sannions : « Votre folie est prématurée ; attendez au moins que le siècle s'achève sur votre race ; ceux qui ont vu votre grand-père, qui lui ont parlé, sont vieux et ne sauraient plus vivre longtemps. Qui pourra dire comme eux : ''Là il étalait, et vendait très cher'' » ?

Les Sannions et les Crispins veulent encore davantage que l'on dise d'eux qu'ils font une grande dépense, qu'ils n'aiment à la faire. Ils font un récit long et ennuyeux d'une fête ou d'un repas qu'ils ont donné ; ils disent l'argent qu'ils ont perdu au jeu, et ils plaignent fort haut celui qu'ils n'ont pas songé à perdre. Ils parlent jargon et mystère sur de certaines femmes ; ils ont réciproquement cent choses plaisantes à se conter ; ils ont fait depuis peu des découvertes ; ils se passent les uns aux autres qu'ils sont gens à belles aventures. L'un d'eux, qui s'est couché tard à la campagne, et qui voudrait dormir, se lève matin, chausse des guêtres, endosse un habit de toile, passe un cordon où pend le fourniment, renoue ses cheveux, prend un fusil : le voilà chasseur, s'il tirait bien. Il revient de nuit, mouillé et recru, sans avoir tué. Il retourne à la chasse le lendemain, et il passe tout le jour à manquer des grives ou des perdrix.

11 — Quel est l'égarement de certains particuliers qui, riches du négoce de leurs pères, dont ils viennent de recueillir la succession, se moulent sur les princes pour leur garde-robe et pour leur équipage, excitent, par une dépense excessive et par un faste ridicule, les traits et la raillerie de toute une ville qu'ils croient éblouir, et se ruinent ainsi à se faire moquer de soi !

Id., VII, 9, 10, 11.

3 — *Réhabilitation*, mot en usage dans les tribunaux qui a fait vieillir et rendu gothique celui de *lettres de noblesse* autrefois si français et si usité ; se faire réhabiliter suppose qu'un homme devenu riche originairement est noble, qu'il est une nécessité plus que morale qu'il le soit ;

qu'à la vérité son père a pu déroger ou par la charrue ou par la houe, ou par la malle, ou par des livrées ; mais qu'il ne s'agit pour lui que de rentrer dans les premiers droits de ses ancêtres, et de continuer les armes de sa maison, les mêmes pourtant qu'il a fabriquées, et tout autres que celles de sa vaisselle d'étain ; qu'en un mot les lettres de noblesse ne lui conviennent plus ; qu'elles n'honorent que le roturier, c'est-à-dire celui qui cherche encore le secret de devenir riche.

5 — Quelle est la roture un peu heureuse et établie à qui il manque des armes, et dans ces armes une pièce honorable, des suppôts, un cimier, une devise, et peut-être le cri de guerre ? Qu'est devenue la distinction des casques et des *heaumes* ? Le nom et l'usage en sont abolis ; il ne s'agit plus de les porter de front ou de côté, ouverts ou fermés, et ceux-ci de tant ou de tant de grilles : on n'aime pas les minuties, on passe droit aux couronnes, cela est plus simple ; on s'en croit digne, on se les adjuge. Il reste encore aux meilleurs bourgeois une certaine pudeur qui les empêche de se parer d'une couronne de marquis, trop satisfaits de la comtale ; quelques-uns même ne vont pas la chercher fort loin, et la font passer de leur enseigne à leur carrosse.

Id., XIV, 3, 5.

• *Texte n° 5*

SAMUEL CHAPPUZEAU
LE CERCLE DES FEMMES (1656)

Hortense, un jeune poète, aime Émilie, femme savante qui refuse le mariage. Son père, Ménandre, désire la marier à un gentilhomme. Pour se venger, Hortense décide de lui jouer un tour et convainc Germain, un cadet de village, de venir demander la main d'Émilie en feignant d'être gentilhomme.

Hortense enseigne à Germain la manière de s'improviser gentilhomme.

HORTENSE
Prenez garde surtout de n'avoir rien dessus vous qui ne sente son gentilhomme. Qu'il n'y ait rien en vos habits de bien entier et que tout sente sa négligence. Dans vos entretiens, n'ayez rien de bas, ni qui approche des sots discours du vulgaire. Si quelqu'un arrive d'Espagne ou d'Allemagne, informez-vous comment vont les affaires de l'Empereur avec le Pape, comment se porte le comte de Narrau votre cousin et autres grands, dont vous vous dites allié.

GERMAIN
Tout cela est bien de mon goût.

HORTENSE
Portez une bague au doigt qui soit montée d'un beau diamant, avec un cachet d'or qui l'accompagne.

GERMAIN

Vous ne demandez pas si ma bourse pourra fournir.

HORTENSE

En tout cas, une pierre d'Alençon et un cachet de cuir vous coûteront peu. Mais à propos de cachet, il faut parler de vos armoiries. Quelles armes voulez-vous choisir ?

GERMAIN

Conseillez-le-moi vous-même.

HORTENSE

Deux pots au lait en chef et une bouteille en pointe...

GERMAIN

Quels animaux enfin soutiendront l'Écusson ?

HORTENSE

Les princes ont déjà pris les Dragons, les Cerfs, les Chiens, les Griffons ; faites-le supporter deux Harpies. Il reste à parler de votre surnom. Il en faut prendre un qui soit magnifique et où la syllabe témoigne votre noblesse. Faites-vous appeler, si vous voulez, Harpale de Come. Mais il faut y ajouter une seigneurie. N'avez-vous point quelque maison de laquelle vous puissiez porter le nom ?

GERMAIN

Je n'ai point seulement un pouce de terre.

HORTENSE

Possible. Êtes-vous né dans quelque ville célèbre ?

GERMAIN

Mais bien dans le plus pauvre hameau de la province. Car il n'est point loisible de mentir à qui l'on découvre son mal et de qui l'on attend le remède.

HORTENSE

Il y aura sans doute quelque colline voisine de ce hameau.

GERMAIN

Il se voit une roche qui n'en est pas loin, où je menais parfois paître les chèvres.

HORTENSE

Voilà qui va bien ; vous vous nommerez donc Harpale de Come, chevalier de la Roche d'or. Au reste c'est la coutume des grands d'avoir chacun sa devise comme celle de Philippe, *À qui en voudra*, celle de Charles Quint, *Plus avant*. Prenez, pour la vôtre, *Tout au hasard*.

• *Texte n° 6*

LE RICHE MÉCONTENT

Le jeune marquis Lysandre aime Aminte mais ne peut prétendre à l'épouser parce qu'il n'est pas assez riche. Géronte réserve sa fille au fortuné Raymond qui, lui, n'est pas noble. Le riche bourgeois ou le noble désargenté, qui des deux épousera la belle Aminte, tel est le débat que propose la pièce de Samuel Chappuzeau écrite en 1662, Le Riche mécontent.

L'argent est le nerf de toutes choses. La servante de Géronte, Lisette, explique au jeune Lysandre pourquoi il ne peut épouser Aminte.

LISETTE

On penche à vous aimer, mais on redoute un père,
Et l'amour du devoir prend si bien la leçon,
Qu'on ne peut vous aimer de la bonne façon.
Si vous pouviez vous mettre en l'esprit de Géronte,
Vous auriez de la fille après assez bon conte :
Mais il veut de l'argent, et vous n'en avez point,
C'est un malheur pour vous, c'est un très fâcheux point.
Votre rival en a, le bon sire en regorge,
Et montre tant d'écus, qu'on dirait qu'il les forge.
Non, ne nous flattons point, l'argent en ce jour
Ainsi que de la guerre est le nerf de l'amour.

I, 2.

Géronte souhaite pour sa fille un riche mariage.

GÉRONTE

Raymond est habile homme et rien ne l'inquiète.
Ses pareils aujourd'hui sont les seuls bienheureux,
Le Noble, le Bourgeois, l'Artisan, tout est gueux.
Le Noble plus que tous, qui fait de la dépense
En valets, en habits, en chevaux, en bombance,
Et qui pour soutenir l'éclat de la maison
N'ose se retrancher dans la chère saison.
Moi, qui dans la Province ai de belles terres
Qui se sentent encore du désordre des guerres ;
Qui suis d'ailleurs d'un rang à paraître à la Cour
Et n'ai plus qu'une fille assez digne d'amour,
Je veux la bien pourvoir, et que toujours chez elle
L'or ce divin métal à grand tas s'amoncelle.
Sans de grands revenus, Marquises et Duchés
Rendent marquis et ducs souvent bien empêchés...
Lysandre, à dire vrai, ne me déplairait plus,
S'il pouvait me montrer au moins cent mille écus.
Son père assurément est brave gentilhomme,
Mais il ne peut fournir le quart de cette somme.

II, 3.

Raymond a de l'argent mais n'a pas de titre. Clitophon, le valet de Lysandre, se déguise en faux poète pour lui proposer une particule... à vendre. Ainsi Lysandre à nouveau nanti par cette ruse pourra-t-il épouser la belle Lisette.

CLITOPHON

C'est pour vous distinguer d'avecques le vulgaire,
Et le petit bourgeois s'en sert fort rarement.
On en voit quelques-uns s'en targuer fièrement :
Mais j'empêcherais bien, si l'on voulait me croire,
Que nul d'entre eux n'usurpât ce *de* si plein de gloire.
Cent francs pour chaque *de* se devrait imposer ;
Le parti serait bon, il faut le proposer.

RAYMOND

De tout ceci que dois-je me promettre ?
Je vous suis obligé de votre belle lettre.
Mais de quelle façon pourriez-vous faire voir
Que de ces grands aïeux, je puis me prévaloir,
Jusqu'à m'en dire issu, jusqu'à porter leurs armes ?
Quelques gens chatouilleux me feraient cent vacarmes.
Si je ne justifie, on pourrait m'insulter.

CLITOPHON

Leurs tombeaux au besoin se peuvent consulter ;
D'un comte de Toulouse, il reste une effigie
Qui seule hautement fait notre apologie.
C'était un petit corps, bien pris, assez replet
Et si j'ai de bons yeux c'est votre vrai portrait.
N'en est-ce pas assez ? Mais d'ailleurs je déterre
Tout ce qu'ensevelit ou le temps ou la guerre,
Et m'ose bien vanter par de secrets sentiers
De vous faire jusqu'à cent quartiers.

III, 4.

● *Texte n° 7*

L'ARÉTIN : *LA COURTISANE* (1530)

Maître André donne une leçon à Messire Maco sur la manière dont on devient courtisan à Rome.

ANDRÉ

Saluts et encouragements.

MACO

Bonjour et bon an. Et le livre où est-il ?

ANDRÉ

Le voici, au bon plaisir de Votre Seigneurie.

MACO

Je me mourrai si vous ne me lisez pas une leçon maintenant.

ANDRÉ

Vous êtes facétieux.

MACO

Vous avez tort de me dire une injure.

ANDRÉ

Je vous dis une injure en vous appelant facétieux ?

MACO

Maintenant, commencez.

ANDRÉ

Il importe avant tout que le courtisan sache blasphémer ; qu'il sache être joueur, envieux, putassier, hérétique, adulateur, médisant, ingrat, ignorant, âcre ; qu'il sache hâbler, faire le damoiseau et être agent et patient.

MACO

Adagio, piano, fermo. Que veut dire agent et patient ? Je n'entends point cette énigme.

ANDRÉ

Cela veut dire femme et mari.

MACO

Il me semble vous comprendre. Mais comment devient-on hérétique ? C'est là la question.

ANDRÉ

Remarquez,

MACO

Je remarque très bien.

ANDRÉ

Quand quelqu'un vous dit qu'à la cour on trouve bonté, discrétion, amour ou conscience, dites, « je ne le crois point ».

MACO

Je ne le crois point.

ANDRÉ

À qui voudrait vous faire croire que ce soit un péché de rompre le carême, dites, « je m'en moque ».

MACO

Je m'en moque.

ANDRÉ

En somme, à qui vous dit du bien de la cour, dites, « tu es un menteur »...

MACO

Pourquoi blasphèment-ils les courtisans, maître ?

ANDRÉ

Pour paraître habiles, et par la cruauté d'Acursius et de ses pareils qui dispensent les faveurs de la cour, lesquels, donnant les rentes à des vauriens, et faisant pâtir les bons serviteurs, réduisent à un tel désespoir les courtisans que ceux-ci sont près de dire : « Je renonce au baptême. »

MACO

Comment fait-on pour être ignorant ?

ANDRÉ

En restant bête.

MACO

Et envieux ?

ANDRÉ

En crevant du bien d'autrui.

MACO

Comment devient-on adulateur ?

ANDRÉ

En louant toute coquinerie.

MACO

Comment hâble-t-on ?

ANDRÉ

En comptant des miracles.

MACO

Comment fait-on le damoiseau ?

ANDRÉ

Cela vous sera enseigné par le premier faquin de courtisan qui, du soir au matin, fait nettoyer, comme une patène, sa cape et son pourpoint de drap gris et passe ses heures devant le miroir à boucler ses cheveux et à oindre sa tête antique ; et qui avec le parler toscan, et avec des citations de Pétrarque, avec un *oui ma foi*, avec un *je jure à Dieu*, avec un *je vous baise les mains*, s'imagine être le *totum continuum*.

• *Texte n° 8*

CHARLES SOREL : PORTRAIT D'UN MARCHAND

Le fils d'un marchand, ignorant et présomptueux au possible, arriva un jour en une compagnie où j'étais ; il était superbement vêtu d'une étoffe qui n'avait point sa pareille en France : je pense qu'il l'avait fait faire exprès en Italie ; à cause de cela, il croyait qu'il n'y avait personne qui se dût égaler à lui. Je remarquais qu'en marchant il enviait le haut bout, et que, quand on le saluait fort honnêtement, il n'ôtait non plus son chapeau que s'il eût eu la teigne : comme j'ai toujours haï de telles humeurs, je ne pus souffrir celle-là, et dis hautement à ceux qui étaient auprès de moi, en montrant au doigt mon sot : « Mes braves, voici la principale boutique de sire Huistache (j'appelais ainsi son père par l'ancien titre), Dieu me sauve, s'il n'y a mis sa plus belle étoffe à l'étalage. Véritablement il y gagnera bien ; car on n'a pas besoin d'aller à sa maison pour voir sa plus riche marchandise : cette boutique-ci est errante, son fils va la montrer partout. — Parlez-vous de moi ? me vint-il dire avec un visage renfrogné. — Messieurs, ce dis-je en riant à mes compagnons, ne vous offensez-vous point de ce qu'il dit ? Il croit vraiment qu'il y a encore quelqu'un entre vous qui lui ressemble et qui mérite que l'on lui dise ce que je lui ai dit. » Se sentant offensé tout à fait, il me repartit, après avoir juré par la mort et par le sang, qu'il ne portait pas l'épée comme moi, et que ce n'était pas son métier, mais que si... Il en demeura là, n'osant pas passer plus outre.

Quant à moi, tournant sa fâcherie en risée, je recommençai à le brocarder : « Certes, lui dis-je, c'est une bonne finesse de s'efforcer de couvrir d'autant mieux une chose qu'elle est plus infecte et plus puante ; néanmoins la mauvaise odeur parvient jusques à nous. Puisque vous vous efforcez de paraître en habillement, c'est un témoignage que vous n'avez rien autre chose de quoi vous rendre estimable ; mais, ma foi, vous avez tort, car vous avez voulu aller tantôt au-dessus d'un galant homme : toutefois sachez que, si votre corps va au-dessus du sien, son esprit ne laisse pas d'aller au-dessus du vôtre. »

Histoire comique de Francion, 1623.

• *Texte n° 9*

GÉRAUD DE CORDEMOY

Géraud de Cordemoy, dans le Discours physique de la parole (1668), considère que la parole a un support organique, le corps, et jette les bases d'une phonétique qui donne à Molière le prétexte d'un épisode comique, la leçon de philosophie.

Parler à mon avis n'est autre chose que faire connaître ce que l'on pense à ce qui est capable de l'entendre ; et supposant que les corps qui ressemblent au mien aient des âmes, je vois que le seul moyen de nous expliquer les uns aux autres ce que nous pensons, est de nous en donner des signes extérieurs...

De la part du corps en ce qui concerne la voix, il faut considérer qu'il a des poumons où l'air entre par la trachée artère, lorsque les muscles de la poitrine en étendent tous les côtés par leur mouvement, comme il entre dans un soufflet par ce bout, quand on l'étend en séparant les deux côtés.

Il faut aussi concevoir que, comme le vent qui sort d'un soufflet quand on le referme pourrait pousser l'air d'autant de façons diverses, qu'on pourrait mettre des différents sifflets à l'endroit par où sort le vent, de même, l'air qui sort des poumons, quand la poitrine s'abaisse, est diversement poussé, ce que je n'explique pas plus au long : car je suppose que tout le monde sait, qu'outre plusieurs petits anneaux de cartilage, qui servent à empêcher que les côtés de la membrane qui forme le canal par où l'air entre et sort du poumon, ne se rapprochent trop, il y en a trois considérables, dont l'un entre autres se peut serrer de si près, que quand il est en cet état, l'air ne peut sortir du poumon qu'avec un grand effort ; et quelquefois aussi, il se peut élargir de telle sorte, que l'air en sorte fort doucement.

...Si on ouvre la bouche autant qu'on la peut ouvrir en criant, on ne saurait former qu'une voix en A. Et à cause de cela le caractère qui dans l'écriture désigne cette voix ou terminaison de son est appelé A.

Que si on ouvre un peu moins la bouche, en avançant la mâchoire d'en bas vers celle d'en haut, on formera une autre voix terminée en E.

Et si on approche encore un peu davantage les mâchoires l'une de l'autre, sans toutefois que les dents se touchent, on formera une troisième voix en I.

Mais si au contraire on vient à ouvrir les mâchoires et à rapprocher en même temps les lèvres par les deux coins, le haut et le bas, sans néanmoins les fermer tout à fait, on formera une voix en O.

Enfin, si on rapproche les dents sans les joindre entièrement et si en même instant on allonge les deux lèvres en les rapprochant, sans les joindre tout à fait, on formera une voix en U.

L'ATTRAIT DE L'ORIENT
LES RÉCITS DE VOYAGE

Les Turcs étaient à la mode depuis la réception par Louis XIV de l'émissaire musulman Soliman Aga en décembre 1669. Sa venue était annoncée par Jean de La Fontaine qui, en juillet 1669, écrivait à la princesse de Bavière, sœur du duc de Bouillon :

> Nous attendons du Grand Seigneur
> Un bel et bon ambassadeur.

Louis XIV avait tenu à recevoir la délégation turque vêtu d'un costume oriental. D'après les *Mémoires* de Laurent d'Arvieux, le souverain parut

> revêtu d'un brocart d'or, mais tellement couvert de diamants, qu'il semblait qu'il fût environné de lumière, en ayant aussi un chapeau tout brillant, avec un bouquet de plumes des plus magnifiques.

Outré par cet excessif apparaît, Soliman prit congé de ses hôtes le 30 mai 1670.

Le chevalier d'Arvieux fut sollicité pour apporter sa collaboration à la pièce que Molière et Lulli allaient préparer à la suite de ce passage manqué.

> Sa Majesté m'ordonna de me joindre à Messieurs de Molière et de Lulli pour composer une pièce de théâtre où l'on pût faire entrer quelque chose des habillements et des manières des Turcs. Je me rendis pour cet effet au village d'Auteuil où Monsieur de Molière avait une maison fort jolie. Ce fut là que nous travaillâmes à cette pièce de théâtre que l'on voit dans les œuvres de Molière sous le titre de *Bourgeois gentilhomme*, qui se fit Turc pour épouser la fille du Grand Seigneur. Je fus chargé de tout ce qui regardait les habillements et les manières des Turcs.

• *Texte n° 10*

LAURENT D'ARVIEUX

Laurent d'Arvieux, fils d'une famille noble ruinée, n'avait pas d'autre possibilité que de partir faire fortune à l'étranger. L'Orient offrait ses comptoirs avec lesquels la France commençait à négocier. Il voyagea et séjourna plusieurs années en Turquie. Il en rapporta des Mémoires (1660) très riches en couleur qui sont parfois de véritables guides touristiques : descriptions de caravansérails, de bazars, de marchés. Les cérémonies fastueuses des Turcs frappent particulièrement son imagination.

VISITE DU PACHA À TUNIS

« Deux janissaires de deux Drogmans et des domestiques du Consul marchaient les premiers : le Consul marchant seul les suivait. Il était vêtu d'un justaucorps d'écarlate galonné d'or, sur lequel il avait une longue veste, à la mode du pays, de même couleur, fourrée de zibeline : il avait des bas de soie de même couleur, des souliers à galoches pour marcher sur les tapis, un chapeau de castor avec un cordon d'or et de très beaux linges de dentelles. Tous les marchands les suivaient deux à deux selon leurs rangs et leurs domestiques fermaient la marche.

Ils arrivèrent en cet ordre au sérail. Le Maître des cérémonies reçut le Consul à la porte et lui fit un compliment. Tous les gardes se levèrent et conduisirent la compagnie chez le Khiahia du Pacha, c'est-à-dire chez son Lieutenant, qui est en même temps son lieutenant général.

Nous le trouvâmes assis sur des carreaux. Dès qu'il vit le Consul, qu'il était aisé de reconnaître à son habit rouge, que personne que lui ne peut porter, il se leva et le vint prendre par la main, le fit monter sur l'estrade et le fit asseoir sur un tabouret couvert de drap rouge, et se mit sur les carreaux, comme il était auparavant. La compagnie du Consul s'assit, partie sur des carreaux, et partie sur des bancs. »

• *Texte n° 11*

ANTOINE GALLAND

Les relations entre Louis XIV et la Porte ottomane s'altéraient. M. de Nointel entreprit le 20 août 1670 une ambassade et s'embarqua, sur la frégate La Princesse, *accompagné de l'orientaliste Antoine Galland. Le roi désirait qu'à Constantinople ses ambassadeurs, ses envoyés donnassent par leur faste une haute idée de sa puissance. Le Journal de Galland, plus connu comme traducteur des* Mille et Une Nuits, *donne pour les années 1672-1673 le tableau exact et fidèle de la vie qu'on y menait.*

À la différence de Chardin qui se trouvait la même année à Constantinople et qui offre une vision assez critique de ce qu'il voit, Antoine Galland a pour le faste oriental un regard subjugué.

Toutes les descriptions d'entrées, de triomphes, de tournois, de mascarades et de jeux faits à plaisir, que je me souviens avoir lues dans les romans, n'ont rien qui doive les faire entrer en comparaison avec la pompe de celle effective que je considère exactement avec tous les étrangers chrétiens qui s'y trouvèrent, lesquels pourraient tous, pour que ce fût dans un état de désintéressement et sans préoccupation, faire témoignage de cette vérité, si Mademoiselle de Scudéry avait pu se forger dans l'imagination quelque chose de semblable et qu'après avoir représenté avec le crayon de son élégante plume, elle lui eût donné place dans quelque endroit de ses ouvrages, tous ceux qui y prennent du plaisir à cause du vraisemblable qu'elle a toujours tâché d'observer, n'en feraient plus la même estime après avoir lu le morceau, qui bien loin de leur paraître vraisemblable à l'ordinaire, leur paraîtrait encore au-dessus des extravagances des paladins et de nos Amadis de Gaule... Nous voyons qu'on nous donne des descriptions assez exactes des réjouissances, des divertissements et des cérémonies pour lesquels les princes chrétiens font quelque dépense, parce qu'elles sont bornées ; mais je défierais bien que tous ceux qui se piquent de remarquer les choses au juste de pouvoir par leurs discours, donner une idée de tout ce qui se passa en ce jour, ne sera seulement que comme un faible crayon d'un excellent tableau d'un peintre habile qui a été tracé par quelque apprenti lequel, n'ayant que des lignes qui ne sont pas achevées n'a ni la justesse des contours, ni la délicatesse des traits, ni la vivacité des couleurs de l'original, mais qui, néanmoins, ne laisse pas de donner à connaître que ce doit être une chose rare et excellente...

Tout ainsi que les planètes et les étoiles perdent tout ce qu'elles ont d'éclat et de brillant à la présence du soleil, de même aussi le Grand Seigneur qui marchait seul à cheval effaçait tout l'éclat et la splendeur des rangs qui l'avaient précédé. Ce grand et puissant monarque qui m'avait paru, un an auparavant, en état si peu avantageux que je n'avais rien remarqué en lui qui m'en fît concevoir quelque chose d'extraordinaire parut, aujourd'hui, avec tant de gloire et tant de majesté que j'en étais ébloui. Le Mars du Paganisme était une divinité qui nous a toujours été représentée sous l'habit d'un furieux et d'un homme couvert de sang et de poussière, plus propre à saisir les cœurs d'horreur et d'effroi qu'à leur inspirer quelque mouvement de respect et de vénération pour sa personne. Le Mars des Turcs était tout autrement que celui-ci. Son air et son habillement guerriers joints à l'éclat des grosses pierreries et des pierres qui reluisaient sur lui, sur la bride, sur la selle, sur la housse de son cheval qui paraissait au-dessus d'une peau de léopard qui en couvrait la croupe, joints, dis-je, à toutes ces choses et à la propreté et au bel assortiment de tout son équipage composaient un certain assemblage d'ornements de guerre et de fête qui remplissait agréablement les esprits à la fois de surprise, d'étonnement, d'admiration et de charmes.

Journal d'Antoine Galland à Constantinople, 1672-1673.

TURCS ET TURQUERIES AU THÉÂTRE

• *Texte n° 12*

MOLIÈRE

À titre de fantaisie et de divertissement, Molière invente dans Le Sicilier *(1667) une langue turque à l'amusante bigarrure.*

SCÈNE 7

PREMIÈRE ENTRÉE DE BALLET
Danse des esclaves

L'ESCLAVE, à *Isidore*.
C'est un supplice, à tous coups,
Sous qui cet amant expire ;

Mais si d'un œil un peu doux
La belle voit son martyre,
Et consent qu'aux yeux de tous
Pour ses attraits il soupire,
Il pourrait bientôt se rire
De tous les soins du jaloux.

À dom Pèdre.

Chiribirida ouch alla,
  Star bon Turca,
Non aver danara :
Ti voler comprara ?
  Mi servir à ti,
  Se pagar per mi ;
Far bona cucina,
Mi levar matina,
Far boller caldara.
Parlara, parlara,
Ti voler comprara [1] ?

DEUXIÈME ENTRÉE DE BALLET
Les esclaves recommencent leur danse

DOM PÈDRE *chante.*

Savez-vous, mes drôles,
Que cette chanson
Sent, pour vos épaules,
Les coups de bâton ?
Chiribirida ouch alla,
Mi ti non comprara,
Ma ti bastonara,
Si ti non andara :
Andara, andara,
O ti bastonara [2].

Oh ! oh ! quels égrillards ! (*À Isidore.*) Allons, rentrons ici : j'ai changé de pensée ; et puis, le temps se couvre un peu. (*À Hali, qui paraît encore.*) Ah ! fourbe, que je vous y trouve !

HALI

Hé bien ! oui, mon maître l'adore. Il n'a point de plus grand désir que de lui montrer son amour ; et, si elle y consent, il la prendra pour femme.

DOM PÈDRE

Oui, oui, je la lui garde.

---

1. Je suis bon Turc, je n'ai point d'argent. Voulez-vous m'acheter ? Je vous servirai, si vous payez pour moi. Je ferai une bonne cuisine ; je me lèverai matin ; je ferai bouillir la marmite. Parlez, parlez, voulez-vous m'acheter ?
2. Je ne t'achèterai pas ; mais je te bâtonnerai, si tu ne t'en vas pas. Va-t'en, va-t'en, ou je te bâtonnerai...

HALI

Nous l'aurons malgré vous.

DOM PÈDRE

Comment ! coquin...

HALI

Nous l'aurons, dis-je, en dépit de vos dents.

DOM PÈDRE

Si je prends...

HALI

Ce n'est pas ce que je demande. Mais, comme je me mêle un peu de musique et de danse, j'ai instruit quelques esclaves qui voudraient bien trouver un maître qui se plût à ces choses ; et comme je sais que vous êtes une personne considérable, je voudrais vous prier de les voir et de les entendre, pour les acheter, s'ils vous plaisent, ou pour leur enseigner quelqu'un de vos amis qui voulût s'en accommoder.

ISIDORE

C'est une chose à voir, et cela nous divertira. Faites-les-nous venir.

HALI

Chala bala... Voici une chanson nouvelle, qui est du temps. Écoutez bien. Chala bala.

SCÈNE 8
Dom Pèdre, Isidore, Hali, esclaves turcs

UN ESCLAVE, *chantant à Isidore.*
D'un cœur ardent, en tous lieux,
Un amant suit une belle ;
Mais d'un jaloux odieux
La vigilance éternelle
Fait qu'il ne peut que des yeux
S'entretenir avec elle.
Est-il peine plus cruelle
Pour un cœur bien amoureux ?
À dom Pèdre.
Chiribirida ouch alla,
    Star bon Turca,
Non aver danara :
Ti voler comprara ?
    Mi servir à ti,
    Se pagar per mi ;
Far bona cucina,
Mi levar mutina,
Far boller caldara ;
Parlara, parlara,
Ti voler comprara ?

I, 7-8.

• *Texte n° 13*

ROTROU

Deux personnages de La Sœur *(1645) de Rotrou parlent le turc à un troisième qui ne comprend rien...*

ERGASTE, *parlant turc.*
Eh bien, lui parlant turc, je vais bien le confondre.
Cabrisciam ogni Boraf, embusaim, Constantinopola ?

HORACE
Ben Belmen, ne sensulez.

ANSELME
Eh bien, que veut-il dire ?

ERGASTE
Qu'en vous en imposant son père a voulu rire ;
Qu'il est d'humeur joyeuse, et n'a jamais été
En Turquie.

ANSELME
En quel lieu l'a-t-il donc racheté ?

ERGASTE, *à Horace.*
Carigar camboco, ma io ossabando ?

HORACE
Bensem, Belsem.

ERGASTE
À Lipse en Négrépont.

ANSELME
Ô tête vieille et folle !
Sachez par quels chemins ils sont venus à Nole.

ERGASTE
Ossabando, nequet, nequet, poter cosi Nola ?

HORACE
Sachina, Basumbace, agrir se.

ERGASTE
Il dit qu'on vient par mer sans passer par Venise.

Les personnages reviennent de Turquie et en décrivent les mœurs.

ERGASTE
Nous venons de Turquie, et dans cette contrée
Des plus religieux l'Église est ignorée ;
C'est un climat de maux, dépourvu de tous biens,
Car les Turcs, comme on sait, sont fort mauvais chrétiens.
Les livres en ce lieu n'entrent point en commerce,
En aucun art illustre aucun d'eux ne s'exerce,

Et l'on y tient quiconque est autre qu'ignorant
Pour catalaméchis, qui sont gens de néant...

La loi de Mahomet, par une charge expresse,
Enjoint ces sentiments d'amour et de tendresse,
Que le sang justifie et semble autoriser ;
Mais le temps le pourra démahométiser ;
Ils appellent *tulbach* cette ardeur fraternelle,
Ou *boram*, qui veut dire intime et naturelle.

• Texte n° 14

CHARLES SOREL

Le roman de Charles Sorel, Histoire comique de Francion *(1623), a
contribué à inspirer les Turcs de Molière.*

Comme il finissait ce propos, les quatre Allemands qui s'étaient habillés
en Polonais, arrivèrent avec six flambeaux devant eux. Le plus apparent
de la troupe, qui représentait l'ambassadeur, fit une profonde révérence
à Hortensius, et ceux de sa suite aussi ; puis il lui fit cette harangue,
ayant préalablement troussé et retroussé ses deux moustaches l'une après
l'autre : « *Mortuo Ladislao rege nostro, princeps invictissime,* se dit-il
d'un ton éclatant, *Poloni, divino numine afflati, te regem suffragiis suis
elegerunt, cum te justitia et prudentia adeo similem defuncto credant,
ut ex cineribus illius quasi phœnix alter videaris surrexisse. Nunc ergo
nos tibi submittimus, ut habenas regni nostri suscipere digneris.* » Ensuite
de ceci, l'ambassadeur fit un long panégyrique à Hortensius, où véritablement il dit de belles conceptions, car il était fort savant. Entre autres
choses, il raconta que ce qui avait mû principalement les Polonais à élire
Hortensius pour leur roi était qu'outre la renommée qu'il s'était acquise
parmi eux par ses écrits qui volaient de toutes parts, on faisait courir
un bruit que c'était de lui que les anciens sages du pays avaient entendu
parler dans de certaines prophéties qu'ils avaient faites d'un roi docte
qui devait rendre la Pologne la plus heureuse contrée de la terre. Dès
que cet orateur eut fini, Hortensius, le saluant par un signe de tête qui
montrait sa gravité, lui répondit ainsi : « *Per me redibit aurea œtas, sit
mihi populus bonus, bonus ero rex.* » Il ne voulut rien dire davantage
alors, croyant qu'il ne fallait pas que les princes eussent tant de langage,
vu qu'un de leurs mots en vaut cinq cents. Les Polonais lui firent des
révérences bien basses, et s'en allèrent après, avec des gestes étranges,
comme s'ils eussent été ravis d'admiration. L'un disait : « *O rex Chrysos-
tome, qualis Pactolus ex ore tuo emanat !* » Et l'autre s'en allait criant :
« *Ô alter Amphion ! quot urbes sonus tuæ vocis œdificaturus est !* »
Ainsi ils sortirent, le comblant de louanges et de bénédictions, comme
la future gloire de la Pologne ; et Francion les reconduisit avec un plaisir
extrême de les voir naïvement faire leur personnage. Quand il fut de

retour, voilà du Buisson qui, sortant d'une rêverie où il avait feint d'être, se va jeter à genoux devant Hortensius, et lui dit d'une voix animée : « Ah ! grand prince, ayez soin de votre fidèle serviteur, maintenant que vous avez mis un clou à la roue de Fortune, faites que je sois votre créature, et me donnez quelque charge où je puisse vivre honorablement. » Alors Francion, le retirant rudement, lui dit : « Que vous avez d'impudence d'importuner sitôt le roi ! N'avez-vous pas la patience d'attendre qu'il soit dessus ses terres ? — Si du Buisson ne devient plus sage, se dit Hortensius, je dirai qu'il mérite qu'on lui refuse quand même il demande, au lieu que Francion mérite qu'on lui donne, quand même il ne demande pas. »

MUSIQUE DE LULLI.

Le Maître à danser chante *en donnant la leçon à M. Jourdain*

la, la, la, la, la, la, la. la, la, la, la, la, la.

la, la, la, la, la, la, la, la, la, la, la, la,

la, la, la, la, la, en ca-den-ce, s'il vous plait,

la, la, la, la, la jambe droi-te la, la, la,

ne re-muez point tant les é-pau-les la, la, la, la, la,

la, la, la, la, la, vos deux bras sont es-tro-piés,

la, la, la, la, la, haussez la tê-te, tournez la

pointe du pied en de-hors la, la, la, dressez votre corps.

MENUET DE LA LEÇON DE DANSE

JEAN-BAPTISTE LULLY
DU BALLET À LA COMÉDIE-BALLET

La musique et la danse, c'est tout ce qu'il faut.
Le Maître à danser

L'histoire de la vie de Jean-Baptiste Lully ressemble à un roman d'aventures.

Né le 29 novembre 1632 dans un moulin des environs de Florence, il y serait probablement resté toute sa vie s'il n'avait rencontré sur son chemin le chevalier de Guise. Revenant combattre les infidèles sur les galères de Malte, de Guise était en quête d'un petit Italien pour sa cousine, Mlle d'Orléans, qui lui en avait demandé un pour converser avec lui dans sa langue. Lully, âgé de quatorze ans, arriva à Paris en mars 1646 et entra au service de Mademoiselle sans doute en qualité de « garçon de chambre ».

Il est vraisemblable que Lully, après avoir joué du violon dans son jeune âge, se soit adonné au clavecin et à la composition sous la discipline de trois musiciens français : Nicolas Metru, auteur d'une messe alors renommée et d'airs profanes, l'organiste Roberday, partisan de la musique italienne, Gigault, organiste de Saint-Nicolas-des-Champs, claveciniste et joueur de viole. Il fut surtout autodidacte.

Il débuta comme violon et comme danseur dans les petits ballets qui se donnaient chez Mademoiselle. Lorsqu'il entra chez le roi en décembre 1652, il était en possession de talents exceptionnels, ce qui explique sa très rapide ascension.

Le ballet était une véritable institution de l'État. À chaque carnaval, le roi dansait un ballet, à la vue de son peuple, entouré des princes du sang et des premiers gentilshommes du royaume. Dans les salles du Louvre ou du Petit-Bourbon, il y avait 3 000 spectateurs. En outre, le ballet était le fruit d'une triple collaboration : celle d'un grand seigneur qui prenait en charge le patronage du spectacle et présidait à sa distribution ; celle de l'inventeur du ballet qui établissait le plan général et l'ordre de succession des scènes, sorte de régisseur qui faisait entrer les personnages en temps voulu ; quant au poète, il avait la charge de créer les récits qui se trouvaient au début de chaque partie et qui devaient être chantés à l'exception de celui qui s'intercalait entre la dernière entrée et le grand ballet, où l'on admirait, vêtu de satin broché d'or, coiffé d'aigrettes, le visage couvert d'un masque noble, le roi accompagné des principaux gentilshommes qui avaient pris part au spectacle. Le poète devait aussi composer les vers pour les personnages de ballet. Benserade excellait à ce jeu. La musique était répartie entre les compositeurs de la musique vocale et ceux de la musique instrumentale.

Lully débuta à la Cour comme danseur dans le *Ballet de la nuit* au carnaval de 1653. La danse de ballet tenait beaucoup de la pantomime, libre, hardie, théâtrale. Lully possédait le double talent de violon et de danseur, ce qui devait le mener tout droit à la chorégraphie. Il se présenta en 1653 comme violon et baladin sur le même pied que Beauchamp. Durant cinq ans, il ne fut connu que sous ce double aspect. « C'est un grand Baladin », écrit Mademoiselle dans ses *Mémoires*. Au carnaval de 1654, il parut dans quatre entrées du *Ballet des proverbes* et fut admis en avril à danser aux côtés du roi sous le masque et l'habit d'une « furie ». Au carnaval de 1655, il fut compositeur et danseur.

Il fit ses débuts de compositeur de musique bouffe en 1656 dans le *Ballet de la galanterie* du temps : il y affirme son double talent pour la musique vocale et instrumentale. La charge d'intendant de la musique instrumentale lui fut conférée. Il obtint du roi la création des Petits Violons qui furent payés sur le fond des Menus Plaisirs et dont l'office était de se faire entendre au souper et au coucher du roi, aux bals de la Cour, et d'accompagner le souverain dans ses déplacements.

En 1657, il était le favori du roi et considéré comme l'un des meilleurs compositeurs européens.

En 1661, il fut nommé surintendant de la musique du roi. Il composa le *Ballet de l'Amour malade*, en janvier 1657, petit opéra italien entre-mêlé d'un ballet français.

Lully devint en 1664 le collaborateur de Molière, de dix ans plus âgé que lui.

Molière et Lully commencèrent à travailler ensemble en 1664 (en laissant de côté la courante des *Fâcheux*). L'occasion en fut *Le Mariage forcé*, c'est-à-dire la première comédie-ballet commandée à la troupe du Palais-Royal pour le service du souverain. Lully fit la musique et Beauchamp le ballet. Quelques mois plus tard, il fournit à Molière la musique de *La Princesse d'Élide*, puis, en 1665, celle de *L'Amour médecin*. Pour *Le Médecin malgré lui*, il composa l'air sur lequel Sganarelle chante la chanson « de la bouteille », l'air de Sosie au début d'*Amphitryon* (on n'en est pas tout à fait sûr). La musique de *La Pastorale comique*, celle du *Sicilien*, celle qui encadre *George Dandin*, celle de *Monsieur de Pourceaugnac*, des *Amants magnifiques*, du *Bourgeois gentilhomme*, de *Psyché* lui reviennent. On lui attribue avec vraisemblance les paroles des airs italiens chantés dans *Pourceaugnac* et dans *Psyché*. Il montra sa virtuosité de bouffon en créant les rôles d'un médecin dans *Pourceaugnac* et du Mufti dans *Le Bourgeois gentilhomme*.

Les relations entre le comédien et le musicien furent probablement fort intimes, mais, dès que leurs intérêts s'opposèrent, c'en fut fini de huit années de travail en commun.

En mars 1672, Lully fit transférer à son nom le privilège que le chevalier Perrin avait obtenu trois ans plus tôt pour créer à Paris une académie de musique, jouissant du monopole de la représentation des pièces chantées. En avril, il fit signifier aux troupes de comédie l'interdiction d'engager des orchestres dépassant douze musiciens et des chœurs de plus de six voix. C'était le moment où Molière faisait entrer le Palais-Royal dans la voie de la tragédie à machines : *Psyché* fut montée en 1671. Lully arrêtait brutalement l'essor nouveau de son ami. Les frais que celui-ci avait engagés devenaient inutiles. La rupture était inévitable.

LE BOURGEOIS GENTILHOMME
INTERPRÉTATION ET MISES EN SCÈNE

Molière interpréta, à la création du *Bourgeois gentilhomme*, le rôle de M. Jourdain. La copie du *Bourgeois* conservée dans les manuscrits du musicien Philidor note que Jourdain chantait Janneton en fausset pour rendre la chanson plus niaise... En effet Molière chantait mal. Il fut, conformément aux indications données par l'acte III, scène VI, un Jourdain bilieux et non sanguin, un homme emporté, très vif, sans cesse en mouvement, c'est-à-dire conforme à son caractère :

« Je suis bilieux comme tous les diables et il n'y a morale qui tienne : je me veux mettre en colère tout mon soûl, quand il m'en prend envie. »

Jourdain au-delà de Molière

À la reprise de 1685, Rosimont joua le rôle mais n'en laissa aucun souvenir. Un peu plus tard, Paul Poisson en donna une exécution digne de l'héritage qu'en avait laissé Molière. Comme lui, il savait jouer de ses désavantages physiques, en particulier d'une bouche démesurément grande et d'un bredouillement. En 1736, son fils Arnoud reprit le rôle avec le tic de la famille. En 1729, La Thorillière fut un Jourdain déprécié par le roi parce que son jeu était plus proche du badinage que de la bouffonnerie.

Le plus célèbre Jourdain du XVIIIᵉ fut Préville. Sa gaieté était plus lente que celle de son prédécesseur :

« Il était gauche de corps et d'esprit, d'un bout à l'autre, mais gauche à faire plaisir, et voilà le difficile [1]. »

Dugazon, sans se préoccuper des exigences du bon goût, porta son tempérament aux extrêmes de la bouffonnerie et entreprit de corser la colère de M. Jourdain envers sa femme, lorsque celle-ci vient troubler le repas : saisissant les pièces du repas, il chassait l'importune en lui jetant des petits pâtés. Il mit à profit les ressources du rôle en grimaces. Stendhal, dans son *Journal* (20 août 1806), parle de « ce luxe de moyens parmi lesquels il ne sait pas choisir ».

Le rôle revint ensuite à des comédiens plus effacés. Thénard, Michot qui étaient plus des valets que des premiers rôles. Thénard fut remarqué par le bon ton dont il faisait preuve, mais il paraissait trop souvent sec et guindé. Michot était beaucoup plus doué. Il fit d'abord carrière dans la comédie légère et ce fut en 1812, à l'âge de quarante-sept ans, qu'il prit le rôle de M. Jourdain. Court, ramassé, d'allure réjouissante, il incarnait bien les rondeurs du « bourgeois » et se servait avec adresse de son physique comique.

Dans la seconde moitié du XIXᵉ siècle, Thiron fut un « bourgeois » inimitable, « trop spirituel pour jouer au naturel ce ridicule imbécile. Mais il a ce rare mérite d'être très gai. Sa voix perçante amuse l'oreille et éveille le rire ». (*Le Temps*, Francisque Sarcey, 29 octobre 1880.)

---

1. Maurice Descotes, *Les Grands Rôles du théâtre de Molière*, PUF, 1960.

En mars 1902, Coquelin aîné exprima dans ce rôle, à la Porte-Saint-Martin, « la plénitude, l'épanouissement du merveilleux talent de Cyrano » (*Le National*, 31 mars 1902).

Le rôle s'orienta vers une plus grande finesse. L'évolution fut consacrée, en 1916, par Maurice Féraudy, « au physique un peu amaigri, dont seul le chapeau à plumes faisait vraiment rire ». En 1911, à l'Odéon, Coquelin cadet fut « étourdissant dans la composition de ce rôle. On ne saurait lui donner une physionomie plus bouffonne ».

En 1912-1913, furent tentées les premières interprétations par des artistes de café-concert. *Le Bourgeois gentilhomme* constitua, en juin 1913, le quatrième spectacle classique de Bobino (après *Le Malade imaginaire*, *Le Barbier de Séville*) organisé par Montpreux, directeur de l'Odéon. L'entreprise fut considérée comme une curiosité. On vit dans le rôle de Jourdain Vilbert, célébrité du café-concert, qui avait déjà obtenu des succès à l'Odéon avec le personnage, puis Danglard, sans que l'un et l'autre aient pu s'imposer de façon magistrale.

En 1944, la Comédie-Française fit appel à Raimu, acteur qui avait été formé par le café-concert et le music-hall : c'est au Casino de Paris qu'il avait débuté en 1898. Ses débuts purement dramatiques eurent lieu à la Renaissance en 1915 dans le rôle de M. Chasse. Raimu, dans le divertissement de Serge Lifar et de Jeanine Charrat, ne fut pas le Jourdain qu'on avait espéré.

Variations sur Le Bourgeois

À partir de 1950, la farce et le divertissement que tous les metteurs en scène s'accordent à voir jusque-là laissent insensiblement la place à des « interprétations » plus « libres » du texte ou au contraire plus rigoureuses. *Le Bourgeois* se prête à tous les caprices des metteurs en scène (cirque, cinéma, télévision, pop'art, ballet, etc.) mais aussi à leur réflexion (analyse du rôle de l'argent, place politique de la bourgeoisie, régression infantile du père au sein de la famille...). Le jeu de l'acteur se subordonne à des lectures préalables de la pièce.

En 1951, Louis Seigner reprit le rôle pour le conduire à son triomphe en le jouant (475 fois entre 1951 et 1969), dans la mise en scène de Jean Meyer et les décors de Suzanne Lalique.

> « Large, truculent, d'une si irrésistible sincérité naïve... il a montré toutes les facettes du personnage. Il était drôle, il interprétait le rôle en grand clown, mais sans jamais charger, avec une stupéfiante économie de moyens et une grande richesse d'émotions... » (Robert Kemp, *Le Monde*, 18 juin 1951). « M. Jourdain n'est pas seulement un bourgeois riche qui se croit gentilhomme : il est aussi et avant tout un imbécile. Il est moins un personnage de comédie qu'un personnage de farce, et de grosse farce... Les ballets meublent admirablement le décor qu'a imaginé Suzanne Lalique et qui est une merveille de goût et d'intelligence. Cette grande salle où toute l'action se déroule reçoit le jour de fenêtres hautes et étroites, et est sommée d'une galerie sur toute sa longueur ; un escalier en large spirale

mène de la galerie à la salle commune. C'est par cet escalier que M. Jourdain fait sa majestueuse entrée ; c'est du haut en bas que Mᵐᵉ Jourdain, Nicole et la charmante Lucile assisteront aux burlesques folies de M. Jourdain ; c'est du haut de cette galerie que Mᵐᵉ Jourdain épiera la conversation à voix basse de son mari et de Dorante et concevra des soupçons sur la vertu de son époux. C'est sur cet escalier et sur cette galerie que se grouperont les chanteurs et chanteuses des intermèdes. C'est l'escalier le plus intelligent que je connaisse. Tout cela, qui est d'un blanc et or très pur, est à la fois élégant et chargé. C'est une excellente interprétation de la pièce elle-même, l'étalage exagéré de la richesse, mais sans ces sautes de goût très grossières que se permettent les "nouveaux riches"... De ce goût et de cette beauté, les costumes dessinés par Suzanne Lalique portent un éclatant témoignage. Il n'est pas jusqu'aux excès vestimentaires de M. Jourdain qui n'aient, sous leur tapage, une grandeur et une majesté auxquelles nous sommes sensibles. »

Jacques Lemarchand, juin 1951.

En 1970, Bernard Ballet, par sa mise en scène, tourne le dos délibérément à la tradition d'un « bourgeois » pantin passif qui se laisse berner par son entourage.

« Il a longuement mûri que *Le Bourgeois gentilhomme* veut être, avant tout, un divertissement et que, par ailleurs, il convient de "centrifuger" la distribution des rôles pour faire de M. Jourdain l'axe principal. M. Jourdain a de l'argent et il se paie un divertissement royal. Il a les moyens de rendre réelles ses rêveries et s'offre des fantaisies qui vont jusqu'au délire : la grande turquerie. Cette analyse, qui fait du bourgeois un tireur de ficelles, renverse singulièrement les situations et s'appuie aussi sur le fait que Molière tenait lui-même le rôle principal de la pièce... La primauté est accordée à la peinture des autres modèles sociaux du bourgeois gentilhomme qui sont très édifiants : d'une part, les modèles aristocratiques qui côtoient M. Jourdain ; d'autre part, la faune des parasites qui gravitent autour de lui, les maîtres à penser, les maîtres à danser de tout poil et de tout acabit. Dorante et Dorimène, la marquise, sont traités sans ménagement. Avec la lucidité sous-jacente que souligne Maréchal, dans le rôle de M. Jourdain, comment ne pas penser que Molière, issu de la bourgeoisie, n'introduisait pas aussi dans ce divertissement un impertinent regard sur une noblesse désargentée et déjà décadente ?... D'une façon assez admirable, la mise en scène de Bernard Ballet nous lance dans les grandes sphères de l'imagination. Le décor entièrement blanc de Jacques Angéniol offre des perspectives de faux miroirs, des tours ahurissants et compliqués, des socles qui s'animent, des balcons qui ressemblent à des chaires d'église. Tout est conçu pour l'évasion. Elle se réalise dans un univers très plastique, très beau où s'animent des arlequins, des laquais, des comparses. L'apothéose est atteinte dans la scène du grand

Mamamouchi, turquerie géniale, où M. Jourdain se prosterne, se recueille, puis se déchaîne dans une sorte de grand "show psyché-délique", à la façon des chanteurs de pop'. La référence, très drôle, à Arthur Brown est ici évidente. La turquerie prend une dimension religieuse… Marcel Maréchal est royal. Il donne une composition très variée, sait se mettre en retrait pour faire valoir les autres comparses, puis devient délirant, rend évidentes les nuances… Il dynamise son personnage, l'accélère, le fait tourner bon train. Il emprunte parfois dans les gestes fous et les mimiques au meilleur Jerry Lewis… »

Jean Besse, *Les Lettres françaises*, 3 mars 1970.

En 1972, Jean-Louis Barrault montre *Le Bourgeois gentilhomme* sous un chapiteau de cirque aux Tuileries.

« Dans un vaste décor où les bleus et les beiges des costumes jetaient des notes harmonieuses, la comédie de Molière est apparue comme une farce musicale, une grande place ayant été donnée aux divertissements où des accents pop' et des rythmes de samba se mêlaient aux accords de Lully. Des rythmes simili-américains, des déhanchements swingués, un grand tableau oriental du mamamouchi, style finale de revue au Casino des Bains de mer, avec référence à *Hair* pour attirer la jeunesse… Jacques Charon dans le rôle de M. Jourdain use de son comique vigoureux, plein de santé, qui ne cesse jamais d'être humain. »

Courrier Picard-Amiens, 22 décembre 1972.

Dans la mise en scène de Jean-Laurent Cochet, en 1980, par la musique de Strauss… le ballet l'emporte sur la comédie. L'interprétation de Jean Le Poulain est décriée :

« Il joue trop les vieux gamins agités faisant des mines, mais, peu à peu, à mesure qu'il devient l'opulent dindon, le perroquet empanaché, il prend sa vraie dimension de bête magnifique prête à toutes les folies, son vrai poids de balourdise grandiose. »

Gilles Sandier, *Lettres/Arts*, avril 1980.

En 1981, Jérôme Savary fait faire à M. Jourdain son entrée au Magic Circus :

« … entre la bande dessinée et un imaginaire cruel… Dans le strass, les paillettes, le maquillage, le mouvement, les feux d'artifice, la musique, Savary nous sert la pièce sans la patine du temps qui chloroforme les choses, la pièce récupérée à l'Ajax, repeinturlurée, de quoi faire hurler le bon goût. Il a choisi de taper plus fort dans l'allusion à la petite bourgeoisie, au clinquant qui fait riche, avec un excès tel qu'il lui renvoie une image insupportable dans son mauvais goût, insupportable au nom de cette distinction recherchée. C'est toute l'esthétique du spectacle qui raconte avec violence et iconoclastie l'histoire de M. Jourdain. »

Évelyne Pieiller, *Révolution*, 15 avril 1981.

En 1982, *Le Bourgeois gentilhomme* fait sa sortie au cinéma, dans un film français de Roger Coggio, avec Michel Galabru dans le rôle de M. Jourdain.

« Ce bourgeois vit vraiment dans l'opulence. Pourvu d'un budget plus que confortable, Coggio ne l'a privé d'aucun des agréments que procure la richesse. Trop c'est trop. L'hôtel du candide M. Jourdain prend des proportions versaillaises, sa domesticité est aussi nombreuse que celle des Cléopâtre hollywoodiennes et on a probablement pillé les galeries Barbès ''rayon meubles de style'', pour aménager ses antichambres... Par-dessus le marché, on a imaginé que l'installation de cette demeure princière n'était pas encore terminée, ce qui était une bonne idée en soi, la carrière de M. Jourdain n'étant point parvenue à son terme elle non plus et son accession à la ''qualité de gentilhomme'' n'étant encore qu'un but lointain... Michel Galabru se livre au numéro ébouriffant que l'on sait. Il donne de M. Jourdain une image parfaitement bouffonne, soulignant à plaisir ses ridicules et le chargeant de tant de naïveté que nous avons beaucoup de mal à ne pas le trouver sympathique, même aux moments où il devrait nous être odieux. Ce qui fait que nous tombons des nues lorsqu'aux dernières images, une chanson de Michel Sardou accompagnant un montage de documents photographiques aussi futuriste que vengeur nous le donne pour l'ancêtre de ces créatures hideuses qui ont porté les monsieur Thiers et les Adolf Hitler au pouvoir... Cet épilogue inattendu, aussi artificiellement plaqué que les effets de mise en scène qui nous ont procuré un certain malaise tout au long du film, n'en donne pas pour autant la dimension politique voulue par Roger Coggio à la comédie de Molière... La démonstration est manquée. »

Michel Pérez, *Le Matin de Paris*, 9 mars 1982.

Pour Jean-Luc Boutté, en 1985, le théâtre est un plateau nu et des acteurs. Louis Bercot, le décorateur, a conçu un espace pour le jeu et la danse qui semble être un hommage aux gravures du XVIIe siècle. Dans cet espace vide où il n'y a que quelques sièges et une table pour le repas, le texte repose sur le talent des comédiens.

« M. Jourdain, interprété par Roland Bertin, dans la scène des voyelles, serre les dents, écarte les coins de la bouche et les remonte vers les oreilles, il fait ''I''. Il est rouge de surprise, d'émotion, il est joyeux comme un gosse. Le répétiteur sourit gentiment. Il est en bonne voie. Ce M. Jourdain ne l'a pas déçu. Il a su lui faire éprouver physiquement, fortement qu'apprendre quelque chose, c'est un peu de bonheur, une sensation neuve inconnue et que ça suscite une gaieté...

Cette scène des voyelles prend un éclairage particulier du fait que nous sommes au théâtre et que le théâtre, c'est les comédiens, et que l'art des comédiens c'est aussi de savoir prononcer les consonnes et les voyelles en obtenant d'être entendus par les spectateurs... Cette leçon de phonétique donnée à un vieux bonhomme est une folie.

Il nous semble qu'elle ne mènera à rien. Ce gros et riche marchand, malgré ses naïvetés, n'est pas vraiment sympathique. La gentillesse du répétiteur est peut-être un peu perverse. Bref, il y a ici toute une richesse de choses tues, de plaisanteries et de tristesses qui passent. C'est cela, Molière : tout ce paysage humain sur une pointe d'aiguille... Roland Bertin, comédien subtil, sensible, nous donne le vide, l'égoïsme, parfois la brutalité, la suffisance, mais aussi l'innocence, la fraîcheur, la bonne volonté, de M. Jourdain... D'autres choix de Boutté pourront paraître plus hasardeux : la suppression des détails de la "cérémonie turque", l'essai de reconstitution des ballets et des concerts d'origine... »

Michel Cournot, *Le Monde*, 16 mai 1985.

AU THÉÂTRE, À PARIS AU XVIIe SIÈCLE

Déjà fécond au Moyen Âge avec les mystères qui lui donnent les sources religieuses dont le théâtre portait l'empreinte depuis l'Antiquité grecque, renouvelé par l'érudition littéraire des poètes de la Renaissance qui privilégient l'écriture au détriment de la représentation et retrouvent l'inspiration des grandes tragédies antiques, l'art dramatique français atteint son apogée au XVIIe siècle, « siècle d'or » du théâtre classique comme le fut le Ve siècle avant J.-C. pour le théâtre grec.

Troupes et comédiens

Interprété par de simples baladins nomades disposant d'un répertoire assez pauvre devant un public grossier au début du XVIIe siècle, le théâtre devient une institution permanente qui à la fin de ce même siècle accueille un public raffiné venu applaudir les chefs-d'œuvre d'une brillante littérature dramatique.

Dans la première moitié du siècle, le théâtre de la foire était ouvert tous les ans : foire Saint-Germain, de février à la semaine de la Passion ; foire Saint-Laurent, de juillet à septembre. La foule des badauds attirés par les parades montées sur des tréteaux improvisés vient applaudir des bateleurs renommés, tels Bruscambille, Mondor et Tabarin, que des médecins ambulants dits « empiriques » ont pris à gages pour faire de la réclame en faveur de leurs drogues dans des baraques de fortune.

Après Pâques, pendant la morte-saison, des « compagnies » s'organisent à Paris. Elles comptent une dizaine de comédiens, un portier, un décorateur, parfois un poète payé à gages, mais considéré comme un luxe ou comme une bouche inutile, puisqu'il existe tant de pièces toutes faites sans droits d'auteur à payer ! Plus proches de la misère que de la gloire [1], elles parcourent la province en suivant les grands chemins.

---

1. Les tribulations du *Capitaine Fracasse* de Théophile Gautier (1863) — titre disponible dans la même collection, n° 6100 — donnent un aperçu très pittoresque de la vie des comédiens ambulants à cette époque.

Installées un jour dans quelque hôtellerie, un autre dans un jeu de paume, elles représentent des pastorales ou des tragi-comédies à la mode. Les troupes de campagne les plus connues furent celles de Molière, de Filandre et de Floridor.

À Paris même, à la fin du XVIe siècle, on ne trouve qu'une salle de théâtre fixe : elle est située non loin de l'église Saint-Eustache, à l'angle de la rue Mauconseil et de la rue Française, sur un terrain de l'hôtel de Bourgogne et appartient aux Confrères de la Passion qui ont le monopole des représentations dans la capitale. Mais, en 1599, le manque de succès pousse les Confrères à louer leur salle à la troupe nomade de Valleran-Lecomte qui s'installe définitivement à l'hôtel en 1628. Les comédiens, alors autorisés par Louis XIII à prendre le nom de « troupe royale », jouissent désormais d'une situation officielle privilégiée [1]. Ils jouent d'abord la farce où excelle le célèbre trio Gros-Guillaume, Gautier-Garguille et Turlupin, puis se spécialisent dans la tragédie. Les acteurs les plus renommés seront le comique Poisson, Bellerose, Floridor, Montfleury et surtout la Champmeslé, interprète favorite de Racine.

Cependant une troupe nouvelle fait bientôt concurrence à la troupe royale : sous la direction du tragédien Mondory, elle se fixe au jeu de paume du Marais, rue Vieille-du-Temple. On y joue beaucoup la farce avec Jodelet, puis on monte surtout des pièces à machines qui séduisent le public par leurs artifices destinés à créer le merveilleux. Mais Mondory est frappé par une attaque d'apoplexie et reste paralysé : le théâtre va décliner jusqu'à sa fermeture en 1673 ; ses comédiens émigrent alors soit à l'hôtel de Bourgogne, soit chez Molière.

Après avoir tenté sa fortune en province, Jean-Baptiste Poquelin (Molière) revient à Paris en 1658 ; il gagne à ses comédiens le titre de « troupe de Monsieur », frère du roi, et s'installe dans la salle du Petit-Bourbon, sur la place du Louvre, face à Saint-Germain-l'Auxerrois ; puis, après la démolition de celle-ci en 1660, dans la magnifique salle du Palais-Royal que Richelieu avait fait bâtir et qu'il partage avec les comédiens italiens. D'excellents éléments viennent constituer la troupe de Molière : sa propre épouse, Armande Béjart, qui joue les coquettes à la scène comme à la ville ; La Grange qui tient l'emploi des amoureux ; du Croisy qui assure celui des comiques ; le couple Du Parc : « Gros René » Berthelot, dit Du Parc, et son épouse, la belle Marquise-Thérèse, future créatrice du rôle d'Andromaque, qui interprète les jeunes premières ; et enfin Baron, un enfant de la balle, formé par Molière lui-même, et qui fut sans doute l'acteur le plus doué de son temps. Partisan du naturel dans l'art, Molière réagit vivement contre la déclamation emphatique de ses rivaux de l'hôtel de Bourgogne : ainsi imite-t-il Montfleury pour le ridiculiser dans *L'Impromptu de Versailles* ; il cherche à introduire dans la tragédie le goût de l'intonation juste avec un débit varié. Mais à sa mort, la troupe doit quitter la salle du Palais-Royal pour

---

1. Pour la description détaillée de la salle de l'hôtel de Bourgogne, voir les très précises indications de décor qu'Edmond Rostand donne en ouverture de sa pièce *Cyrano de Bergerac* (1897) — titre disponible dans la même collection, n° 6007.

s'installer rue Mazarine, à l'hôtel Guénégaud, un ancien jeu de paume aménagé en théâtre. Sur ordonnance royale, les meilleurs éléments du théâtre du Marais viennent se joindre à elle ; cependant la disparition de son chef et les dissensions intestines lui font perdre la faveur du roi et précipitent son déclin.

Vers la même époque l'hôtel de Bourgogne souffre également de conflits internes : les deux troupes rivales qui subsistent avec difficulté expriment le vœu de fusionner. Comme le roi lui-même veut donner à Paris une seule compagnie, il ratifie ce souhait par une lettre de cachet qui accorde aux « comédiens français » le privilège exclusif « de représenter des comédies dans Paris » (1680). En 1687, la nouvelle troupe s'installe rue des Fossés-Saint-Germain, dans l'actuelle rue de l'Ancienne-Comédie, où elle donne désormais des représentations tous les jours ; elle compte quinze comédiens et douze comédiennes, appelés « comédiens ordinaires du roi » et pensionnés par lui : ainsi naquit la Comédie-Française.

À ces théâtres publics, s'ajoutent des salles privées : il est de bon ton d'aimer le théâtre, de patronner une troupe et de posséder sa propre scène où l'on offre des spectacles à ses amis. À côté des recettes des représentations publiques et des dons des protecteurs (entre autres le roi et sa famille), c'est une confortable source de revenus pour les comédiens qui se partagent les bénéfices.

Les représentations

Leur fréquence augmente rapidement ; vers 1660, on jouait trois fois par semaine : le vendredi, réservé aux premières, le dimanche et le mardi. L'heure des représentations devient aussi de plus en plus tardive : on commençait en principe à deux heures pour terminer vers cinq ou six heures du soir ; puis, de retard en retard, souvent bien au-delà (cinq heures au début du XVIIIe siècle), parfois même après les vêpres ; cependant on ignore encore les soirées. Le spectacle est copieux et se compose souvent de deux pièces : une comédie en un ou trois actes et une tragédie, ou bien une comédie en cinq actes. Primitivement annoncé par une sorte de parade au son du tambour, il est publié par des affiches de couleurs variées, rédigées en termes pompeux ; jusqu'en 1625, elles oublient seulement de nommer les auteurs ! Mais la réclame est essentiellement assurée par l'orateur de la troupe : dans la salle même, il harangue les spectateurs pour le prochain spectacle ou présente la pièce et les acteurs dans un prologue pour la représentation du jour ; tâche qui exige autorité, tact et esprit : ce fut le cas de Bellerose et Floridor à l'hôtel de Bourgogne, Mondory au Marais, Molière et La Grange au Palais-Royal. L'entrée de la salle est surveillée par un portier qui a pour mission de refouler les mauvais payeurs : cela ne va pas sans rixes parfois sanglantes !

Les salles de spectacles, longues et assez étroites, sont déjà disposées comme de nos jours : loges et galeries forment un ovale autour de la scène ; nobles et grands bourgeois les occupent. Les loges sont traditionnellement réservées aux femmes « du bel air ». La petite bourgeoisie prend place sur des gradins disposés en amphithéâtre. Au centre, le parterre, quelquefois séparé de la scène par une grille : ses places sont bon marché (quinze sous ; les loges sont à vingt sous ; les prix sont doublés pour les premières représentations) et occupées exclusivement par les hommes, debout jusqu'en 1782. Un public populaire particulièrement bruyant et difficile à satisfaire ! Venue d'Angleterre, s'introduit en 1656 la coutume de réserver de chaque côté de la scène un certain nombre de sièges ou « banquettes » aux spectateurs élégants aussi soucieux de voir que d'être vus : les petits marquis semblables à ceux que ridiculise Molière [1] peuvent ainsi manifester aux yeux de tous leur enthousiasme ou leur désapprobation. Cette pratique se maintiendra jusqu'en 1760 : elle ne facilite guère les évolutions des acteurs ! De façon générale, l'assistance est agitée et le silence religieux qui s'impose de nos jours n'est pas de mise : allées et venues, conversations, éventuellement injures adressées aux comédiens ne cessent de perturber la séance [2]. Heureusement l'entretien des chandelles permet de ménager des pauses salutaires : il faut en effet les moucher régulièrement entre chaque acte si l'on ne veut pas enfumer la salle !

La scène, fort réduite, offre la forme d'un entonnoir ouvert vers le public. Elle est éclairée d'abord par des chandelles de cire fixées au mur derrière les acteurs, puis par deux lustres que l'on fait monter au début de la représentation ; les feux de la rampe n'existent pas encore. Longtemps la mise en scène demeura élémentaire. Le décor unique s'impose dès que la règle de l'unité de lieu fait disparaître l'utilisation de décors simultanés hérités du Moyen Âge. Pour les tragédies, le registre des décorateurs mentionne presque invariablement : « le théâtre est un palais à volonté » ; pour les comédies, « une place de ville » ou un intérieur

---

1. Dans *Les Fâcheux* (1661), Molière trace le portrait d'un fâcheux redoutable, celui qui sévit dans les ailes de théâtre et perturbe le spectacle par son sans-gêne :
... « Mais l'homme pour s'asseoir a fait nouveau fracas,
Et traversant encor le théâtre à grands pas,
Bien que dans les côtés il pût être à son aise,
Au milieu du devant il a planté sa chaise,
Et de son large dos morguant les spectateurs,
Aux trois quarts du parterre a caché les acteurs. »
(acte I, scène 1, vers 29-34).

2. Le premier acte de *Cyrano de Bergerac* (voir note 1, p. 183) offre le spectacle d'une salle truculente et colorée : les voleurs ne manquent pas pour venir, armés, tirer les manteaux ; les étudiants débitent leurs théories haut et fort ; tout le monde s'interpelle. Ainsi témoigne Bruscambille qui n'arrive pas à faire taire la salle pour lever le rideau :
« A-t-on commencé ? C'est pis qu'antan. L'un tousse, l'autre crache, l'autre pète, l'autre rit, l'autre gratte son cul ; il n'est pas jusqu'à messieurs les pages et laquais qui n'y veuillent mettre leur nez, tantôt faisant intervenir des gourmades réciproques, maintenant à faire pleuvoir des pierres sur ceux qui n'en peuvent main... Toutes choses ont leur temps, toute action se doit conformer à ce pour quoi on l'entreprend : le lit pour dormir, la table pour boire, l'hôtel de Bourgogne pour ouïr et voir, assis ou debout, sans se bouger non plus qu'une nouvelle mariée. »
Au temps des « classiques » où les honnêtes femmes viendront écouter Racine, l'hôtel de Bourgogne affichera un vernis beaucoup plus policé !

stylisé. Mais peu à peu la mode de la mise en scène venue d'Italie développe le goût de la décoration somptueuse : on réalise des changements à vue, des effets de perspective avec machineries, on fait glisser sur des rails lune, astres ou nuages, ou imite les flots de la mer déchaînée par un système de cylindres ondulant derrière une toile.

Quant aux costumes, les acteurs mettent leur point d'honneur à afficher une garde-robe fastueuse, sans aucun souci de réalisme ou de couleur locale. Pour la comédie, on porte le costume de ville, ce qui permet aux amateurs de théâtre de se montrer généreux à bon compte en offrant à la troupe les vêtements qu'ils ne veulent plus porter ! Pour la tragédie, le costume « à la romaine » : chapeau à plumes ou casque empanaché, cuirasse et brodequins ; on arbore aussi le costume « à l'espagnole » ou « à la turque » avec turban. Personne ne se montre surpris ni choqué qu'Auguste apparaisse avec un large chapeau bordé de deux rangs de plumes rouges ou que Polyeucte adresse sa prière à Dieu coiffé d'une perruque, tenant à la main un feutre et des gants !

La représentation est devenue un rite social autant qu'un événement littéraire et artistique, une cérémonie dans l'esprit de celles de la cour ou des salons. Le théâtre jouit de l'appui du pouvoir, cependant l'Église fait peser sur lui une lourde réprobation morale, ainsi que sur le métier d'acteur : les comédiens sont frappés d'excommunication et on leur refuse la sépulture en terre sainte.

LEXIQUE POUR COMPRENDRE QUELQUES USAGES DU *BOURGEOIS GENTILHOMME*

BOURGEOIS : in Dictionnaire de l'Académie : « citoyen d'une ville ». Ce terme comprend, dans sa définition, les artisans, les propriétaires, les rentiers, les négociants, les fonctionnaires, les hommes adonnés aux professions libérales. Les bourgeois sont à distinguer des ouvriers, des petits marchands, de la noblesse.

GENTILHOMME : tout gentilhomme est noble mais tout noble n'est pas gentilhomme. Il y a trois sortes de noblesses : noblesses de race, de lettres, d'offices.

MAÎTRES DE MUSIQUE ET DE DANSE : ils avaient fort mauvaise réputation.

MAÎTRE D'ARMES : nul ne pouvait être maître à Paris ou dans le royaume, sans avoir servi pendant quatre ans au moins comme prévôt.

MAÎTRE DE PHILOSOPHIE : enseigne la logique, la morale, la physique. Les questions de grammaire n'étaient pas de sa compétence ; s'il les traite, ce sera au point de vue purement physiologique de la formation des sons.

MAÎTRE TAILLEUR : fournit toutes les pièces du vêtement. On en peut conclure que M. Jourdain s'était adressé à l'un des vingt-six tailleurs d'habits, chaussetiers, pourpointiers, privilégiés suivant la cour.

GENRES LITTÉRAIRES

AIR À BOIRE : on chantait beaucoup à table, sans accompagnement quand on ne faisait pas chanter avec la symphonie ou l'orchestre des musiciens payés.

BERGERIES : poèmes, récits, pièces de théâtre, mettant en scène les amours des bergers (pastorales) , I, 2.

COMÉDIE-BALLET : comédie accompagnée de chants et de danses. Sous Louis XIV, les ballets de cour, où il dansa lui-même, eurent un éclat extraordinaire et firent la gloire de Benserade qui composa les principaux. Le succès de ces ballets donna l'idée de les transporter au théâtre. Ils furent incorporés à l'action dans le théâtre de Molière.

DIVERTISSEMENT ROYAL : pièce de théâtre accompagnée de danses et de chants (syn. de comédie-ballet) ; III, 6. Il fait partie des services publics. Si le souverain se réjouit, la France est en joie. Le plaisir est nécessaire à sa santé qui est nécessaire à la nation.

INTERMÈDE : divertissement, représentation entre les actes d'une pièce de théâtre.

SÉRÉNADE : pièce de musique vocale ou instrumentale composée en principe pour être jouée en plein air et la nuit, généralement destinée à une femme aimée ; III, 6.

SYMPHONIE : concert d'instruments ; II, 5.

LE COSTUME

BAS DE SOIE : vêtement de luxe, fort coûteux, imposé par la mode ; I, 1. On fabriquait des bas de soie en France dès 1597. Trois ans auparavant, des lettres patentes portaient confirmation des statuts et privilèges du métier de ravaudeur et raccoutreur de bas de soie. Ceux-ci se fabriquaient dans le duché d'Étampes et surtout à Dourdan ; c'est seulement en janvier 1656 que l'on rencontre un édit pour l'établissement de manufactures de bas de soie. En 1672, un autre édit restreint cette fabrication aux villes de Paris, Dourdan, Rouen, Caen, Nantes. Un arrêt du conseil en 1717 ordonna aux fabricants de n'employer que du fil de soie à huit brins et fixa le poids de bas pour les hommes à quatre onces, pour les femmes à deux onces et demie.

CAMISOLE : vêtement court, à manches, porté sur la chemise.

COLLET : rabat de toile blanche que l'on mettait autour du cou.

DÉSHABILLÉ : peignoir que l'on porte chez soi dans l'intimité.

ENHARNACHER : s'habiller, s'accoutrer de façon grotesque. Verbe utilisé pour les chevaux que l'on met sous le harnais ; II, 2.

ÉQUIPAGE : habillement.

ÉQUIPER : habiller ; I, 1.

HAUTS-DE-CHAUSSE : sorte de pantalon s'arrêtant aux genoux ; I, 1.

INDIENNE : 1680, Richelet : « toile sur laquelle on imprime des figures, des fleurs et autres agréments et qui sert à faire des robes de chambre » ; I, 1.

   1688, Furetière : « robe de chambre à la manière des Indiens qui est venue à la mode, soit qu'elle soit seulement taillée à la manière des Indiens avec des manches fort larges, soit qu'elle soit faite d'étoffes venues des Indes, peintes ou diversifiées de couleurs ou figures comme sont les toiles qu'on appelle "indiennes" et que l'on contrefait en France, qui sont faites de laine fort fine ou de petits fils de coton ».
   Pour M. Jourdain, il s'agirait plutôt du vêtement que de l'étoffe.

LAQUAIS : valet dont l'emploi consiste à suivre son maître et qui porte ses livrées.

LIVRÉES : I, 1. Autrefois, les grands seigneurs faisaient porter leurs livrées à tous leurs domestiques, aux pages, laquais, cochers, postillons, palefreniers. Les livrées du roi étaient bleues. En particulier nul ne pouvait les porter sans une concession particulière, et un tailleur ne pouvait les confectionner, sous peine d'une amende qui fut fixée, par ordonnance du 12 décembre 1703, à 500 livres.

PERRUQUE : son usage avait commencé sous Louis XIII vers 1625. La couleur préférée était le blond, d'où le nom de « blondins » donné aux jeunes galants.

PLUMASSIER : marchand de plumes pour orner les chapeaux ; III, 4.

POURPOINT : partie du vêtement d'homme qui couvrait le torse jusqu'au-dessus de la ceinture ; II, 5.

RHINGRAVE : culotte de cheval, très large, mise à la mode par un noble du Rhin (Rheingraf) ; II, 5.

BIBLIOGRAPHIE

Sur Molière en général

Antoine ADAM : *Histoire de la littérature française au XVIIe siècle*, tome III, Domat, 1952.

Jacques AUDIBERTI: *Molière dramaturge*, L'Arche, 1954.

Paul BÉNICHOU: *Morales du Grand Siècle*, Gallimard, 1948.

René BRAY : *Molière, homme de théâtre*, Mercure de France, 1954.

Pierre BRISSON : *Molière, sa vie dans ses œuvres*, Gallimard, 1942.

Maurice DESCOTES : *Les Grands Rôles du théâtre de Molière*, PUF, 1960.

Ramon FERNANDEZ : *La Vie de Molière*, Gallimard, 1930. *Molière ou l'essence du comique*, Grasset, 1979.

Jacques GUICHARNAUD : *Molière, une aventure théâtrale*, NRF, Bibliothèque des idées, 1963.

Roger IKOR : *Molière double*, PUF, 1977.

René JASINSKI : *Molière, l'homme et l'œuvre*, Hatier, 1969.

Louis JOUVET : *Molière*, « Conferencia », sept. 1937.

Gustave LANSON : *Molière et la farce*, Revue de Paris, 1901.

Georges MONGRÉDIEN : *La Vie privée de Molière*, Hachette, 1950.

Daniel MORNET : *Molière, l'homme et l'œuvre*, Hatier-Boivin, 1943.

Gustave MICHAUD : *La Jeunesse de Molière. Les débuts de Molière à Paris. Les luttes de Molière*, 3 vol. Hachette, 1923-1925.

Jacques SCHERER : *La Dramaturgie classique en France*, Nizet, 1950.

Alfred SIMON : *Molière par lui-même*, éd. du Seuil, 1957.

Sur Le Bourgeois gentilhomme

Jacques COPEAU : *Comédies-ballets*, tome I, *Le Sicilien, Le Bourgeois gentilhomme*, I.A.C., Lyon, 1944.

Pierre MARTINO : « La cérémonie turque du *Bourgeois gentilhomme* », *Revue d'histoire littéraire de France*, janvier-mars 1911.

Maurice RAT ; « Molière et M. Jourdain », *L'Illustre Théâtre*, n° 4, 1955.

Le XVIIe siècle et l'Orient

Laurent D'ARVIEUX : *Mémoires* (1670).

Antoine GALLAND ; *Journal de Constantinople* (1672-1673), éd. Scheler, 1881.

Alain GROSRICHARD : *Structure du Sérail. La fiction du despotisme asiatique dans l'Occident classique*, Le Seuil, 1979.

Maurice HERBETTE : *Une ambassade persane sous Louis XIV*, 1907.

Pierre Martino : *L'Orient dans la littérature française au XVIIe et au XVIIIe siècle*, 1906, Slatkine Reprints, Genève, 1970.
Saint-Simon : *Mémoires*.

DISCOGRAPHIE

Le Bourgeois gentilhomme, l'Encyclopédie sonore, Hachette, 1955.
Le Bourgeois gentilhomme, coll. Grands textes et grandes voix ; Comédie-Française, 1953.

FILMOGRAPHIE

Le Bourgeois gentilhomme, film de Jean Meyer, FR., 1958, avec Louis Seigner, Jean Meyer, Jacques Charon et Robert Manuel.
Le Bourgeois gentilhomme, film de Robert Coggio, FR., 1982, avec Michel Galabru, Rosy Varte, Robert Coggio, Jean-Pierre Darras et Ludmila Mikaël.

VIDÉOGRAPHIE

Le Bourgeois gentilhomme, mise en scène de J.-L. Cochet, Comédie-Française, 1980, avec Jean le Poulain (Film Office).

TABLE DES MATIÈRES

I - AU FIL DU TEXTE

www.pocket.fr
Le site qui se lit comme un bon livre
POCKET
Informer
Toute l'actualité de Pocket, les dernières parutions collection par collection, les auteurs, des articles, des interviews, des exclusivités.
Découvrir
Des 1ers chapitres et extraits à lire.
Choisissez vos livres selon vos envies :
thriller, policier, roman, terroir, science-fiction...
POCKET
Il y a toujours un Pocket à découvrir
sur www.pocket.fr

Impression réalisée sur Presse Offset par

BRODARD & TAUPIN

GROUPE CPI

26223   La Flèche (Sarthe), le 30-11-2004
Dépôt légal : mars 1992
Suite du premier tirage : décembre 2004

POCKET – 12, avenue d'Italie - 75627 Paris cedex 13
Tél. : 01.44.16.05.00

Imprimé en France